Alan

NEZ AU VENT

Roman

Traduit de l'anglais (États-Unis)
par Carole Delporte

ÉDITIONS FRANCE LOISIRS

Titre de l'édition originale : ROAM
Publiée par Atria Books, une division de Simon & Schuster, Inc.

Pour Gustavo et Mia Bella

Édition du Club France Loisirs,
avec l'autorisation des Éditions JC Lattès.

Éditions France Loisirs,
123, boulevard de Grenelle, Paris.
www.franceloisirs.com

Maquette de couverture : atelier Didier Thimonier
Photo : Tim Flach © Getty Images

ISBN : 978-2-298-07437-6

Écoutez la bande-son originale de *Nez au vent* !

Après certains chapitres, des liens vous permettront d'écouter en ligne sept morceaux de piano spécialement composés par l'auteur pour le roman. Les partitions de ces morceaux sont également disponibles à la fin du livre.

Liste des chansons

I.

Le Grand Amour

1.

L'herbe fut le premier parfum qui embauma les narines de Nelson. Riche, belle, énigmatique, elle émanait des prairies proches de la ferme de Mme Anderson, où Nelson et ses frères et sœurs avaient vu le jour. Son petit nez se trémoussa, troublé par ce tout nouveau stimulus. Dans le ventre de sa mère, il avait déjà vaguement perçu cette émanation. En venant au monde, il fut bouleversé par la puissance de cette odeur, à la fois effrayante, saisissante et profondément mystérieuse.

Une senteur aux strates multiples. Au fil des années, Nelson apprendrait à discerner la signification de ses diverses nuances et en retiendrait de précieuses informations. Quelles créatures avaient foulé la pelouse et laissé leurs empreintes ? Quelle quantité de rosée s'était déposée dessus ? De quelles prairies lointaines venait la rosée ? L'herbe lui parlerait de la pluie tombée deux jours plus tôt, des fourmis et autres insectes qui l'habitaient. La terre renfermait aussi dans ses entrailles les traces des étés passés, des hivers d'un autre temps, des êtres qui avaient vécu dans le comté du New Hampshire, berceau de Nelson. Elle racontait l'histoire ancestrale des racines et des ossements de ces sols riches.

Nelson appartenait à une portée de six bâtards. Normalement, il n'aurait pas dû être un bâtard. Depuis plusieurs années, Mme Anderson élevait des beagles et des caniches de pure race. Ses chiots se vendaient plusieurs milliers de dollars pièce aux quatre coins de l'Amérique. La mère de Nelson, Lola, un adorable caniche nain couleur abricot, avait donné naissance à plusieurs portées. Son père, King, un magnifique spécimen de beagle, maintes fois photographié à la foire annuelle du comté, n'était pas censé gagner les faveurs de Lola pendant ses chaleurs, il y a deux mois. Le mâle, qui avait engrossé plusieurs fois avec succès Nougat, un autre beagle, avait toute l'affection de Mme Anderson. Mais la brave femme espérait accoupler Lola avec un mâle de sa race, Kennedy, un caniche au pelage brunâtre et au cœur généreux. Comment aurait-elle pu deviner que King avait été ensorcelé par les effluves enivrants émanant de la niche de Lola le printemps précédent ? Ayant repéré un petit espace sous la clôture de bois qui entourait la niche de sa dulcinée, King avait creusé ardemment la terre dès que Mme Anderson avait le dos tourné, et les deux chiens s'en étaient donné à cœur joie. Mme Anderson n'avait rien soupçonné avant la naissance des petits, qui ne ressemblaient à aucune race de sa connaissance. La colère l'avait submergée quand elle comprit les méfaits de King. Elle ne put s'empêcher de regretter les milliers de dollars qu'elle aurait gagnés avec des chiots affichant un pedigree. Pourtant, lorsqu'elle prit la sœur aînée de Nelson au creux de sa paume et sentit son léger pouls, son cœur fondit et elle sut qu'elle élèverait ces petits pendant deux mois avec autant d'affection que des chiots de race.

D'habitude, les portées de caniche comptaient deux ou trois spécimens. Lola donna naissance à pas moins de six petits ! Peut-être était-ce le résultat de l'appétit insatiable de King. L'odeur de Lola en chaleur était si intense que chaque fois que le mâle achevait de la chevaucher, une nouvelle vague d'énergie inondait son cœur de beagle.

Les six chiots qui émergèrent de la frêle silhouette de Lola surprirent la chienne elle-même. Une grande tristesse l'avait gagnée quand elle avait vu le numéro quatre gésir immobile, sans vie. Après avoir mangé la poche de placenta qui avait protégé le petit être dans son ventre, elle lécha le corps inerte, encore et encore, tentant de le ramener à la vie. Mme Anderson priait que le chiot fasse un mouvement, mais au bout d'une demi-heure, sans signe de vie de sa part, elle le souleva avec précaution et l'enveloppa dans une serviette blanche. Puis elle l'emporta loin de sa mère. Plus tard dans la soirée, elle brûlerait sa dépouille dans un pré un peu à l'écart de la ferme. Elle contemplerait la lune montante et ferait une prière pour le petit chien qui ne connaîtrait jamais le monde au-delà du ventre de sa mère.

Lola ressentit un profond chagrin quand son petit disparut de sa vue. Mais elle ne pouvait se permettre de s'apitoyer sur son sort. Déjà, les convulsions de son estomac reprenaient, et bientôt, un autre magnifique chiot fit son entrée dans le monde. Nelson avait le pelage d'un brun clair, ou abricot, clairsemé de taches blanches, surtout sur le museau. Un cercle brun sombre entourait son œil droit, tandis que le gauche était cerclé de blanc. Cette particularité donnait l'impression aux humains que Nelson avait des yeux immenses, ébahis, perpétuellement fascinés par le monde. Mais au moment de sa naissance, ses yeux étaient clos, et le resteraient durant toute la première semaine de sa vie.

Son nez frétilla d'excitation quand l'odeur de l'herbe pénétra son univers pour la première fois. Sa mère le lécha, l'enveloppant de son parfum riche et rassurant. Mme Anderson réapparut dans la pièce pour constater l'arrivée du petit nouveau, qu'elle caressa gentiment sur la tête. Ainsi, le chiot renifla pour la première fois l'odeur d'un être humain, une odeur qui lui parut aussi chaleureuse qu'agréable.

Que d'informations pour une jeune âme aux premières minutes de son existence ! Soudain, Nelson fut tiraillé par une faim terrible. Sa mère vit son corps trembler, comme ceux de ses autres petits. Elle poussa encore courageusement et son dernier-né, la petite sœur de Nelson, émergea à son tour, toute frétillante. Mme Anderson plaça alors les chiots un à un avec précaution devant les six mamelles de Lola, et tous se trémoussèrent hardiment pour mériter leur premier repas.

La première semaine de Nelson se déroula comme dans un brouillard. Au fil des jours, son nez explorait avec un intérêt redoublé les senteurs extraordinaires du monde alentour. Puis la faim le tiraillait de nouveau. Parfois, Lola dormait quand il se coulait près d'elle, réclamant désespérément son repas. Bien sûr, il ne se doutait pas combien sa mère était épuisée de nourrir ainsi les cinq petits survivants. Secrètement, Mme Anderson se faisait du souci. La chienne était si frêle ! Plusieurs années auparavant, la grand-mère de Lola avait développé une sévère déficience en calcium due à l'alimentation d'une importante portée, et avait succombé sur le trajet pour la conduire à la clinique vétérinaire de la petite ville de Nelson, dans le New Hampshire. La fermière avait nourri les petits orphelins – parmi lesquels se trouvait la mère de Lola, un caniche blanc perle – au biberon toutes les quatre heures. Souvent, à son réveil, Nelson découvrait sa mère en train de le lécher. Une sensation merveilleuse. Il adorait l'odeur du liquide chaud qui s'écoulait de son corps après cela. C'était une odeur fugitive. Mme Anderson, dont il sentait la présence, plaçait ses mains chaudes sur son corps et les relents d'excréments se dissipaient rapidement. Nelson remarqua que le même fluide s'échappait des corps de ses frères et sœurs. Ses congénères avaient des odeurs similaires à la sienne, pourtant il discernait des nuances spécifiques qui lui permettaient de les différencier. Quand il tétait la mamelle de sa mère, il reniflait parfois la même odeur venant d'elle, mais en plus âcre, plus terreuse. De temps à autre, la fermière emmenait Lola se promener dehors une heure ou deux. Désemparé, Nelson pleurnichait alors doucement jusqu'au retour de la fragrance maternelle.

Les odeurs étaient les éléments puissants qui définissaient sa perception de l'univers. Mais une semaine après sa naissance, ses petites paupières papillonnèrent et ses yeux s'ouvrirent sur le doux visage gris et trouble de Mme Anderson, qui ne le quittait pas du regard. Il fut le premier de la portée à observer le monde avec ses yeux cerclés de couleurs, et l'éleveuse ne put s'empêcher de sourire quand le regard ébahi du chiot se posa sur elle. Ses propres yeux perdaient peu à peu de leur acuité visuelle, et les verres correcteurs forts prescrits par son médecin l'été précédent auraient probablement besoin d'être remplacés bientôt. Bien des chiots avaient vu le jour dans la petite pièce, au fond de la ferme, où la brave femme prenait soin des portées de Lola et Nougat. Une activité qui l'occupait depuis des années, bien après le départ de son fils pour l'Oregon. La majorité des petits étaient adorables, de sorte qu'elle les chérissait tous. Mais il y avait quelque chose de spécial dans la façon dont Nelson leva les yeux sur elle ce matin-là. Mme Anderson savait que la vue des chiens était limitée, en comparaison de celle des humains. Ils ne voyaient pas seulement en noir et blanc, mais étaient aveugles à certaines couleurs, comme le rouge et le vert. De plus, ils n'avaient pas la profondeur de champ des humains, même si le moindre mouvement les mettait en alerte. Pourtant, la fermière aurait pu jurer voir se refléter une curiosité et un intérêt tout particuliers dans le regard de Nelson. Plusieurs années plus tard, elle penserait encore à ce petit chien.

Bientôt, les cinq petits de Lola eurent les yeux ouverts. La chienne se préparait déjà à l'inévitable. Leurs petites pattes se renforceraient, leur corps se développerait rapidement, tandis que leur appétit pour son lait ne ferait que croître. Alors qu'à la naissance, ils n'étaient que de petites boules de poils duveteux, en quelques semaines, une fourrure claire et à demi frisée couvrirait leurs corps. Lola se rappelait les longues nuits sans sommeil, plusieurs mois après le départ de ses premières portées, ainsi que la tristesse de ces journées mornes.

À l'âge d'un mois, la portée s'était muée en une brassée d'animaux exubérants. Sa famille fascinait Nelson. Tous des joueurs infatigables, qui se mordillaient et se taquinaient sans relâche. Certains, plus calmes que d'autres, se contentaient de s'allonger sagement près de leur mère, se délectant de leurs odeurs entremêlées. D'autres ne cessaient de s'agiter, voulant prouver à toute force leur supériorité – lequel serait le plus agile, le plus rapide, le plus adroit à contrôler la balle de laine rouge que Mme Anderson avait jetée dans le petit espace qu'ils partageaient avec leur mère ?

La curiosité de Nelson était le trait le plus marquant de sa personnalité. Le chiot essayait constamment de s'échapper de son domaine, et un jour, il faillit parvenir à ses fins. En entrant dans la pièce, Mme Anderson manqua en effet marcher sur le petit malin, qui guettait son arrivée, fasciné par les senteurs filtrant sous la porte. Le réprimandant doucement, l'éleveuse le souleva et le reposa près des siens. Il ne fallut cependant pas longtemps pour que le chiot aux grands yeux découvre la petite ouverture au fond de leur enclos et tente de nouveau de s'échapper. La fermière dut boucher la brèche à l'aide d'une vieille paire de chaussettes. La curiosité de Nelson était sans cesse accrue par les effluves qui pénétraient dans la pièce. Un délicieux fumet de viande émanait d'une autre pièce de la maison, arôme qui suscitait chez lui une telle voracité que le lait de sa mère ne le rassasiait plus.

Tous les soirs, Mme Anderson prenait Nelson dans ses grandes mains flétries et le caressait tendrement, en écoutant de la musique. Aux anges, Nelson sombrait dans le sommeil, dans un état de béatitude. À son réveil, il léchait les doigts de sa protectrice, de la même manière que sa mère léchait son estomac, chose que la fermière semblait apprécier. Il n'avait pas conscience d'être le seul chiot à bénéficier de ce traitement de faveur. Parfois, Mme Anderson soulevait son protégé à hauteur de ses yeux pour l'examiner de plus près. Le chien discernait alors les détails de son visage et plongeait dans son regard bleu. En lui léchant les pommettes, il lui arrivait de sentir le goût de petites larmes. Plus tard dans son existence, il comprendrait la pleine signification de ce liquide salé qui coulait parfois sur les joues des humains, mais pour le moment, il se réjouissait simplement de leur goût.

Un matin, alors que Nelson était âgé de cinq semaines, l'éleveuse les installa, lui et ses frères et sœurs, dans une petite boîte. Lola observa sa maîtresse avec gravité, mais ne fit rien pour l'arrêter, car elle avait toute confiance en elle. Mme Anderson ouvrit la porte de leur repaire et quitta la pièce avec la boîte remplie de chiots, Lola sur ses talons.

La ferme était assez sombre, ce qui ne limitait en rien la symphonie d'odeurs que Nelson inhala pendant leur traversée de la maison. Des effluves de cuisine, que le chien avait déjà sentis dans leur repaire. Des arômes de viande, d'œufs frits et de beurre fondu. L'odeur douce et tendre des pancakes préparés la veille ondoyait encore dans le salon. En parcourant la cuisine elle-même, la senteur des pommes vertes pénétra les narines de Nelson pour la première fois, telle une lumière étincelante.

En pénétrant dans le jardin, la tête de Nelson faillit littéralement exploser. Un déluge de senteurs le submergea. D'abord, l'herbe, en quantités infinies, dont la proximité était une expérience bouleversante pour les sens. Mme Anderson déposa les petits sur la pelouse et les laissa gambader. La première fois que le petit nez humide de Nelson effleura l'herbe, un courant électrique embrasa tout son corps. Les chiots s'éparpillèrent sur la pelouse, chacun attiré par des fragrances différentes. Quand l'un d'eux s'approchait trop près de la clôture qui séparait le jardin des prés avoisinants, où paissaient chevaux et vaches, Mme Anderson le prenait dans ses bras et le ramenait près de la maison. Lola gardait elle aussi un œil vigilant sur ses enfants, aboyant sèchement lorsque l'un d'eux venait à s'éloigner. Les cinq chiots n'étaient guère conscients de la vigilance de leurs deux mères. Ils fourraient leur nez le plus loin possible dans le sol, dans un état proche de l'extase. Enfin, quand Nelson leva les yeux, il vit les parterres de fleurs en bordure du jardin. Ignorant de quoi il s'agissait, il s'en rapprocha prudemment. Mais leurs arômes délicats lui indiquaient qu'il n'avait rien à craindre de ces étranges choses. Des roses rouges et jaunes, des agapanthes et des jonquilles, des lys et des violettes africaines. En les reniflant, le chien se figea, comme envoûté, et ferma les yeux, laissant le soleil pénétrer son être. Plusieurs années plus tard, quand Nelson sillonnerait les villes brisées et bétonnées, il se souviendrait du parfum lointain de ce jardin, de sa merveilleuse première rencontre avec les fleurs, et revivrait la magie de ces instants, même fugitivement.

Mme Anderson disparut quelques minutes, puis revint avec un autre chien, à peu près de la même taille que Lola. Nelson ne se doutait pas qu'il s'agissait de son père, King, un beagle au port majestueux. Le chiot perçut la force et la noblesse de son aîné. King lui-même ne prêta guère d'intérêt à Nelson ou ses frères et sœurs, se contentant de les renifler brièvement, avant de se lancer à la poursuite d'un écureuil qui passait par là. À l'arrivée de King, Lola se campa près de ses petits et gronda après lui. Ni l'un ni l'autre se semblait se rappeler leurs ébats passionnés d'il y a quelques mois. Mme Anderson soupira en constatant le désintérêt du mâle pour sa progéniture, même si au fond d'elle elle savait déjà ce qui allait se produire.

Un jour, la fermière décida de diversifier la nourriture des petits. Elle qui gardait un œil attentif sur Lola avait remarqué l'épuisement de la petite chienne, à force de nourrir une portée de cinq chiots voraces. D'habitude, elle attendait six semaines avant de présenter des aliments solides aux chiots, mais cette fois, elle essaya plus tôt de leur soumettre du pain et du lait de vache, espérant ainsi donner un peu de répit à Lola. Nelson et ses congénères furent déconcertés par les petits bols de lait chaud et les morceaux de pain rassis que leur protectrice posa devant eux. D'un naturel exubérant, Nelson sauta tout droit dans un bol et en éclaboussa le contenu. C'était une sensation agréable. Mme Anderson le repêcha et le nettoya, puis le prit dans ses mains pour lui apprendre à laper le lait à même le récipient. Dans les jours à venir, la brave femme ajouterait des dés de pommes et de carottes, puis un œuf à la coque découpé en morceaux, pour le plus grand plaisir des chiots.

Un soir, Nelson fut réveillé par un bruit insolite. C'était Mme Anderson. Sa voix, habituellement calme et sereine, était aiguë et forte, même à distance, ce qui effraya le chiot. Il ne comprenait pas la raison de ce changement. Quand l'éleveuse pénétra dans la pièce une heure après, Nelson sentit quelque chose de différent en elle, le sédiment d'une colère intense, tout juste passée. C'était la première fois au cours de sa brève existence qu'il sentait l'odeur de la colère, et il trouva la sensation très déplaisante. Jamais il n'avait senti cela sur un chien et bientôt, il comprit que c'était l'une des choses qui différenciaient les animaux des êtres humains. Nelson expérimenterait lui-même bien des émotions au cours de son existence, mais la colère n'en ferait pas partie.

Mme Anderson baissa les yeux sur lui, vit qu'il l'observait, et le prit dans ses bras. Elle caressa sa petite tête. Quand elle l'approcha de son visage, Nelson lécha ses larmes, lui arrachant un sourire. L'animal aimait la salinité des larmes, mais il était heureux de percevoir de nouveau la joie de sa protectrice. Elle le reposa par terre, quitta la pièce, puis revint peu après, une assiette à la main. Quand elle le mit de nouveau sur ses genoux, il reconnut aussitôt le fumet appétissant de viande si souvent humé ces dernières semaines. C'était assurément la plus merveilleuse odeur du monde. Le jeune chien dévora les morceaux de saucisses, puis lécha l'assiette avec avidité pour en réclamer davantage, ce qui déclencha l'hilarité de sa maîtresse.

Réveillée par l'odeur des saucisses, Lola ouvrit paresseusement les yeux. C'était l'un de ses mets favoris, et en temps normal elle aurait poliment aboyé pour rappeler à Mme Anderson de lui en donner quelques morceaux. Mais cette fois, elle se contenta de replonger dans le sommeil. Elle savait en effet que ses petits ne seraient bientôt plus auprès d'elle, et que de nouveau, Mme Anderson, King, Kennedy, Nougat et elle arpenteraient seuls les forêts voisines. Le soir, elle retournerait se coucher au pied du lit de sa maîtresse et les souvenirs de ses chers petits s'effilocheraient peu à peu. Ainsi, ce soir, elle laissa Nelson se régaler de ce festin.

Mme Anderson était tentée de garder Nelson. Il lui était toujours très pénible de voir les chiots s'en aller, mais elle n'oubliait que le revenu additionnel issu de leur vente était une nécessité, et que cette fois, il ne serait guère élevé. Par chance, certaines des animaleries de la région où elle vendait habituellement ses chiots de race avaient accepté de lui prendre ses bâtards beagle-caniche. Les propriétaires savaient qu'elle leur fournissait toujours de magnifiques spécimens, dont le tempérament séduisait les clients. Joueurs, mais obéissants. Espiègles, mais aimants. L'un d'eux déclara en plaisantant qu'on pouvait appeler les petits de Lola et King des « beaniches » ou des « cagles ». Bien sûr, l'éleveuse n'en retirerait qu'une fraction de la somme habituelle. Vendre Nelson à peine cent cinquante dollars lui semblait une hérésie. Il était si petit dans la grande roue de la vie. Mais elle avait un portail à faire réparer, de nouvelles poules à acheter, et sa pension couvrait à peine les factures.

La fermière nettoyait régulièrement les chiots à l'aide d'une serviette humide. Une tâche qu'elle était obligée de répéter deux fois par jour, étant donné leurs selles plus épaisses, dues à l'ingestion d'aliments solides. Un matin, néanmoins, Nelson sentit qu'un nouvel événement allait se produire, quand leur bienfaitrice les emmena tous dans la buanderie située au fond de la ferme. L'atmosphère sèche et réconfortante du lieu rappela à Nelson l'odeur des draps du lit de Mme Anderson, où il avait passé une fois la nuit.

La brave femme laissa les chiots caracoler dans la petite caisse pendant qu'elle préparait un bain d'eau tiède et savonneuse. Après quoi, elle les baigna un par un. Nelson adora aussitôt cette sensation. Mme Anderson frotta doucement tout son corps, ce qui lui faisait l'effet d'être entièrement léché par sa mère. Frais et revigoré, il se délectait d'une félicité absolue, enveloppé d'un subtil parfum de lavande. Après l'avoir consciencieusement lavé, Mme Anderson le rinça dans une autre petite baignoire, puis le frictionna avec une serviette pour le sécher. Maintenant avec soin sa petite tête entre ses mains, elle se servit de petits ciseaux tranchants pour tailler ses poils ébouriffés. Nelson s'agita et Mme Anderson faillit lui ficher la pointe dans l'œil, au moment où elle coupait les petits poils rebelles qui encerclaient ses yeux. À la fin de l'opération, elle le souleva et l'embrassa plusieurs fois. Le chiot lécha son visage et sentit les larmes à ses paupières.

Ce soir-là, Mme Anderson apporta aux chiots un choix de leurs mets préférés. Du lait, du pain, mais aussi des morceaux de fromage, d'œufs, de pommes et de saucisses. Un par un, elle leur donna à manger. Épuisée, Lola mâchonna quelques morceaux sans grand enthousiasme.

Quand Nelson se lova contre sa mère pour dormir, il sentit la présence de ses frères et sœurs autour de lui, propres comme des sous neufs. Leurs petits corps se soulevaient au rythme de leur respiration et un petit grognement de contentement s'échappait parfois de leurs estomacs pleins. Les lumières étaient éteintes, mais le chien décelait l'odeur de sa protectrice, assise dans une chaise longue non loin de là. C'était le plus beau jour de sa vie. Un doux et tranquille bien-être l'habitait quand il s'abandonna au sommeil. Il rêva de champs d'herbe couverts de saucisses, où il jouait inlassablement avec ses frères et sœurs.

Mais quand Nelson se réveillerait le lendemain, sa vie ne serait plus jamais la même.

Écoutez *The Smell of Grass* :
www.youtube.com/watch?v=aeIhnPp2w9M.

2.

À son réveil, le chiot expérimenta une sensation étrange et inédite. Ses quatre frères et sœurs et lui se trouvaient dans une caisse, à l'arrière du pick-up de Mme Anderson. Tandis que le véhicule brinquebalait sur les routes de campagne bosselées, les chiots étaient secoués en tous sens et projetés les uns contre les autres. Même si la brave femme conduisait lentement, Nelson avait l'impression que ses entrailles remontaient dans son estomac, lui donnant la nausée. Les petits avaient beau gémir, personne ne vint les réconforter. Ils percevaient toujours l'odeur de leur mère sur leur fourrure, mais Lola n'était nulle part en vue.

Enfin, la voiture s'arrêta, et le visage de Mme Anderson apparut au-dessus d'eux. Elle caressa les petites têtes de ses protégés, qui lui léchèrent avidement les mains, à présent rassurés. Elle les prit dans ses bras l'un après l'autre pour leur donner un biberon de lait. Le plastique avait un goût atroce, mais le lait était tout de même bon.

De retour dans la caisse, Nelson s'assoupit, bercé par le roulis du véhicule. Par moments, il se réveillait à demi, surpris par les exhalaisons insolites qui filtraient par la fenêtre. Certaines étaient des versions puissantes d'effluves lointains décelés à la ferme. D'autres, comme l'odeur de l'herbe, le rassuraient.

Deux heures plus tard, Nelson se réveilla en sursaut, agressé par des relents âcres. Alors que ses semblables dormaient toujours, ses yeux étaient grands ouverts, ses sens en alerte, comme s'il décelait un grand danger. Il sentait toujours la présence de Mme Anderson tout proche, mais il craignait de s'éloigner d'elle.

La fermière allumait parfois un feu dans la cheminée le soir, si bien que Nelson connaissait l'odeur de la fumée. Voilà ce que lui rappelaient les gaz nocifs qui enveloppaient le pick-up. Des odeurs piquantes, absolument pas naturelles. Sans parler des bruits, forts et stridents, et des voix des gens, où perçait une agressivité inhabituelle. Le ronronnement du pick-up ne l'avait pas dérangé, mais quand il entendit le rugissement des autres véhicules tout autour de lui, le vacarme devint intolérable. Nelson se mit à geindre. Aussitôt, il sentit la main rassurante de sa protectrice sur sa petite tête, et se rasséréna. Où était sa mère, Lola ? se demandait-il. Pourquoi n'était-elle pas avec eux ?

Soudain, le moteur de la voiture s'arrêta et le cahot des dernières heures cessa enfin. Nelson se reposa quelques instants. Ses frères et sœurs étirèrent le cou, tentant de jeter un coup d'œil pardessus les parois de la caisse.

Mme Anderson se mit du rouge sur les lèvres, puis s'aspergea de parfum. Quand elle se pencha pour s'adresser doucement aux chiots, Nelson perçut de la tristesse dans sa voix. Il pressentit l'imminence d'un grand bouleversement quand elle prit les chiots un à un, pour les caresser et les embrasser une dernière fois. La brave femme passa un peu plus de temps avec Nelson qu'avec ses frères et sœurs.

L'un après l'autre, elle transféra les chiots de l'arrière du pick-up dans des cages de transport grillagées. Quand il fut déplacé à son tour, Nelson entrevit quelques bribes du monde alentour. Un immense immeuble devant lui et des centaines de personnes et de véhicules partout. Quelques humains l'observèrent en souriant, puis adressèrent un petit signe de tête à Mme Anderson.

Nelson fut installé dans une cage de transport avec sa plus jeune sœur. En regardant à travers les mailles métalliques, il vit Mme Anderson placer ses autres frères et sœurs gémissants dans d'autres cages similaires. L'éleveuse donna à chacun de ses protégés de l'eau et des petits morceaux de saucisses. Puis elle s'empara des trois cages et entra dans la grande gare de Concord, ville du New Hampshire.

Nelson était effrayé. La gare grouillait de bruits et de gens pressés. Une profusion d'odeurs l'entourait, qu'il peinait à interpréter. Au moment où sa cage fut placée sur une immense balance, puis pesée, le chien jeta un coup d'œil à sa protectrice, conscient de son profond chagrin. Elle s'approcha du grillage et Nelson lui lécha le visage pour la dernière fois. Après quoi, elle disparut.

Nelson et sa sœur se blottirent l'un contre l'autre. Ils enfouirent leur museau dans leur fourrure respective, où flottait encore la fragrance de leur mère et de leurs frères et sœurs. Comme sa petite sœur pleurnichait, Nelson lui mordilla tendrement l'oreille pour la réconforter.

Quelques heures s'égrenèrent. Sa frayeur dissipée, Nelson voulut s'aventurer hors de sa cage et explorer les nouvelles odeurs inédites qui l'entouraient. Il gratta la porte, mais comprit bientôt qu'elle était dûment fermée. Cette sensation lui était intolérable, aussi se mit-il à geindre bruyamment. Au bout de quelques instants, un homme s'approcha et passa un doigt par la porte de leur prison. Les deux chiots reniflèrent la main de l'inconnu, puis la léchèrent. Un visage amical, coiffé d'une casquette bleue, leur souriait. Nelson retrouva chez l'homme certaines des senteurs chaleureuses de Mme Anderson, ce qui le rassura aussitôt.

Peu après, l'homme sympathique prit les cages et les transporta dans la gare. Nelson fut un peu effrayé en voyant les trains. Étaient-ce des animaux ? Des maisons ? Les odeurs qui en émanaient étaient aussi diverses que variées.

L'homme déposa Nelson et sa sœur dans l'un des wagons et leur chatouilla une dernière fois le museau. Après quoi, il s'en alla. La porte se referma violemment et ils se retrouvèrent plongés dans les ténèbres. Nelson percevait la présence d'autres animaux dans le wagon. Sans doute d'autres chiens, mais aussi des lapins et des poulets. En revanche, l'odeur de sa famille avait disparu. Sa petite sœur et lui demeurèrent silencieux, craintifs. La faim commençait à les tirailler.

Le train se mit brusquement en branle, si bien que Nelson et sa sœur furent projetés dans un coin de la cage. Ils glapirent et le chiot perçut la peur des autres animaux. Paniquées, les poules semèrent une belle pagaille. Mais le train prit son rythme de croisière, et son roulis régulier les apaisa peu à peu. Sa peur envolée, sentant que sa sœur aussi était rassurée, Nelson s'autorisa à humer les senteurs qui s'insinuaient dans le wagon. Les odeurs de la ville avaient une nouvelle fois été submergées par les effluves de la campagne, et Nelson s'enivra avec délice des prairies verdoyantes et des forêts. Il était plutôt étrange de respirer de telles odeurs à l'intérieur d'un train. Certaines étaient immuables, alors que d'autres s'apparentaient à des explosions. Nelson tentait de se concentrer sur les plus intéressantes, mais elles s'évanouissaient aussitôt. La curiosité du chiot était piquée au vif.

Le voyage de Nelson et sa sœur fut de courte durée. Environ une heure plus tard, le train ralentit. Les bruits et les odeurs de la ville reprirent de plus belle, et Nelson sentit de l'eau, d'énormes quantités d'eau.

Quand le train s'arrêta enfin et que la porte du wagon s'ouvrit, Nelson huma l'atmosphère de la gare de Boston.

3.

En vingt ans, la petite animalerie d'Emil Holmes, située au sud de Boston, avait acquis une solide réputation dans la vente des chiots de race. Les éleveurs étaient dans l'obligation de lui fournir les documents officiels délivrés par l'American Kennel Club, afin de prouver le pedigree de leurs chiens et d'en donner des copies aux acheteurs, justifiant ainsi les prix élevés pratiqués par Emil.

Il ne s'agissait pas de la part du jeune homme d'un choix mûrement réfléchi, simplement, quand son père était décédé, l'année de ses vingt-trois ans, Emil avait tout bonnement repris l'affaire familiale. Comme il n'avait pas vu son père depuis l'âge de cinq ans, cet héritage inattendu l'avait passablement surpris. Ses seuls souvenirs de son père étaient peuplés de cris, d'ivresse et d'assiettes brisées dans la cuisine, pendant que le petit garçon qu'il était tremblait dans son lit. Son père n'avait jamais levé la main sur lui, mais sa mère avait récolté quelques coups. Finalement, elle avait eu le courage de se débarrasser de ce mari agressif, dont la présence hantait encore l'esprit d'Emil, bien des années plus tard.

Doué pour les chiffres, Emil s'était lancé après ses études secondaires dans la vente de matériel musical d'occasion. Un temps, il s'en sortit bien et épousa son béguin du lycée, Evelina, avant son vingt et unième anniversaire. Malheureusement, son affaire périclita, comme beaucoup de premiers commerces, et Evelina le quitta peu après, brisant son cœur. Pendant un temps, il se contenta de petits boulots, pansant ses plaies. Au début, l'héritage de son père ne lui parut pas de bon augure. Mais il comprit vite qu'acheter et vendre des chiots de race pouvait s'avérer assez rentable. Il adorait l'aspect commercial de l'animalerie et était déterminé à tenter sa chance une seconde fois. Après quoi, espérait-il, une femme et une famille suivraient. Emil se concentra avec ardeur sur la rentabilité de son nouveau commerce. En quelques années, il apprit à déterminer la valeur d'une portée selon sa race, et surtout selon son éleveur. Certains lui fournissaient d'excellentes bêtes, à tel point que les acheteurs faisaient auprès de leurs amis l'éloge du petit magasin d'Emil. Peu à peu, le commerçant augmenta ses prix et bientôt, il réalisa d'intéressants profits.

Malheureusement, il détestait l'autre versant de sa profession, qui consistait à entretenir le magasin. Il n'avait aucun intérêt particulier pour les chiens et était écœuré par leur odeur, qui semblait empester toute son existence. Parfois, le soir, il avait l'impression de sentir la puanteur des excréments chez lui, même s'il savait que c'était impossible. Il vivait avec cette odeur de merde toute la journée, et devrait la supporter aussi longtemps qu'il tiendrait ce magasin. Comme aucune romance ne se profilait à l'horizon, il en vint à blâmer les chiens de son échec sentimental et de son absence de succès auprès des femmes. L'argent gagné l'aidait à surmonter son ressentiment envers son métier, sans quoi il n'aurait jamais approché le moindre chiot. Comment les gens pouvaient-ils s'extasier sur ces cabots ? Cela dépassait son entendement. Un chien était un animal, rien de plus. Pour l'amour du ciel, les Chinois les consommaient comme de vulgaires poulets !

La requête de Mme Anderson de lui vendre des bâtards l'irrita terriblement. Sa suggestion de les vendre comme une nouvelle race de « cagles » ou de « beaniches » ne le faisait pas rire du tout. Un bâtard était un bâtard. Point final. Un animal inutile, à la valeur infiniment moindre en comparaison d'un chien de race. Son alimentation, sa toilette et l'entretien quotidien de sa cage lui coûteraient probablement plus que le profit qu'il retirerait de sa vente. Il craignait également que la présence de bâtards dans son magasin ne ternisse une réputation soigneusement bâtie au fil des ans.

Mais Mme Anderson était l'un de ses meilleurs fournisseurs. King produisait toujours de magnifiques beagles et Lola des caniches adorables et bien élevés, que les femmes, les « riches garces » de Cambridge, comme il les surnommait, prisaient particulièrement. Mme Anderson n'était qu'une vieille dame loufoque qui gérait seule sa ferme, mais il ne voulait pas la contrarier et risquer de perdre un bon éleveur, qui approuvait toujours ses prix sans rien dire. Ainsi, il accepta de vendre ses deux bâtards. Il fut néanmoins soulagé d'apprendre qu'elle avait trouvé un acheteur pour les trois autres de la portée dans une animalerie du Connecticut.

Cependant, quand il vit les deux chiots en question, il regretta aussitôt sa décision. Comme souvent dans les portées de bâtards, les petits ne se ressemblaient pas. La plus menue, la femelle, était plutôt mignonne, mais le mâle était d'une couleur bizarre, en particulier autour des yeux. On aurait dit un animal de dessin animé. Leur fourrure était tout aussi insolite. Ni lisse comme celle des beagles, ni frisée comme celle des caniches. Plutôt tout ébouriffée. Peut-être devrait-il les raser avant de les mettre en vente ?

Mais le pire à propos de ces chiots, d'après Emil, était leur queue. Les gens désireux d'acheter un chien de race appréciaient que leur queue soit coupée. C'était une pratique commune. Tous ses éleveurs lui fournissaient leurs bêtes en bonne et due forme, sans queue. Et Mme Anderson n'échappait pas à la règle. Apparemment, elle ne s'était pas embarrassée avec ce détail cette fois-ci, sans doute parce que ces animaux sans pedigree ne l'intéressaient pas.

Habituellement, Mme Anderson coupait la queue de ses chiots quand ils avaient deux ou trois jours, même si cet acte la répugnait. Les petits geignaient à fendre l'âme, lorsque la fermière les maintenait fermement pour leur trancher l'appendice avec un couteau affûté. Son cœur se brisait chaque fois qu'elle appliquait le désinfectant et le bandage sur le petit bout restant. Heureusement, en quelques jours à peine, les chiots retrouvaient leur énergie et elle savait bien que cette opération était nécessaire pour ne pas réduire la valeur de chaque portée.

Pourtant, quelque chose en elle l'avait empêchée de priver Nelson et sa famille de cet attribut. Puisque c'était des bâtards, pourquoi leur ôter leur queue ? Elle essaya d'imaginer l'apparence de ses petits dans l'avenir, et se dit qu'ils pourraient bénéficier de ce que sa grand-mère appelait « la cinquième patte du chien ». La vieille dame affirmait que cette protubérance permettait aux chiens de s'équilibrer quand ils couraient.

Emil était néanmoins convaincu que pour vendre ces chiots, il fallait leur couper la queue. Comme il n'avait jamais procédé à cette opération, il devait prendre rendez-vous avec le vétérinaire le plus vite possible. Voilà qui entamerait encore ses profits sur ces satanés cabots. Il lui restait une cage libre dans la rangée inférieure du mur. Pourquoi ne pas y mettre les deux chiots ? S'il ne parvenait pas à les vendre avant l'arrivée de sa brassée de poméraniens, il s'en débarrasserait.

L'animalerie était claire, propre et bien tenue. Les clients d'Emil étaient des gens généralement aisés qui, le jeune homme l'avait vite compris, aimaient venir dans des lieux affichant une certaine classe. Plusieurs rayons contenaient du matériel pour chiens et chats, tandis que les chiots étaient disposés dans des petites cages vitrées alignées le long de l'un des murs du magasin. Les parois étaient en métal blanc et les box bien éclairés. Un système de goutte-à-goutte permettait aux animaux d'étancher leur soif. Des boulettes se trouvaient dans un petit bol, dans un coin du box. De l'autre côté du mur, dans l'arrière-salle, Emil avait accès à la porte de chaque cage, dont la devanture était en verre. Cela empêchait tout acheteur potentiel de passer les doigts entre les barreaux pour que les chiots les lèchent. Emil redoutait qu'une des « riches garces » lui fasse un procès si l'un d'eùx venait à la mordre trop fort. Ainsi, la cliente devait demander à voir un chien en particulier, qui était alors placé dans la petite aire de jeux conçue à cet effet. Là, la cliente passait un peu de temps à jouer avec le petit animal.

La cage de métal blanc de Nelson et sa sœur était étrangement dépourvue d'odeurs. L'eau semblait très différente de celle de la ferme. Nelson, qui y décelait d'insolites émanations chimiques, résista à la boire le plus longtemps possible. Dans l'air flottaient les exhalaisons ténues des autres chiens, mais le métal et la vitre empêchaient la majorité des odeurs de s'infiltrer dans leur petit espace. Nelson et sa sœur se réconfortèrent mutuellement en enfouissant leur museau dans la fourrure l'un de l'autre. Sur le pelage de sa sœur, il respirait des bouffées de sa mère, Lola, et de Mme Anderson. Il s'en délectait en prenant de profondes inspirations, inconscient que dans quelques jours, ces odeurs s'effaceraient pour toujours.

Dans l'atmosphère planait l'arôme étrange des boulettes de nourritures placées à leur intention dans un coin de la cage, dans un petit bol. Mme Anderson leur en avait donné deux ou trois fois, avec du lait et du pain, ainsi que d'autres mets délicieux préparés dans sa cuisine. Mais ces boulettes dégageaient une odeur atroce. Pendant un moment, Nelson ne put se résoudre à y toucher, mais sa faim devint si intolérable qu'il finit par en mâchonner une et se forcer à l'avaler.

La cage ne laissait passer pratiquement aucun bruit. La petite sœur de Nelson pleurnichait et l'eau gouttait lentement, mais en dehors de cela, c'était le silence complet. À l'extérieur du magasin, une foule d'êtres humains grouillait sur les trottoirs. Quand ils observaient les autres chiots par les vitres au-dessus d'eux, Nelson voyait leurs pieds. Peu se baissaient pour les contempler, sa sœur et lui. Certains souriaient, d'autres grimaçaient, mais la plupart leur jetaient un coup d'œil rapide avant de disparaître.

Nelson s'habitua peu à peu à ses nuits à l'animalerie. À environ 17 heures, tous les jours, Emil commençait à fermer le magasin, et un vieil homme à la peau noire faisait son entrée. Sans grande cérémonie, Emil quittait les lieux, et l'homme noir s'employait à nettoyer les sols et briquer les fenêtres.

Après quoi, il ouvrait les cages l'une après l'autre. Quand Nelson et sa sœur l'entendaient débuter cette opération, ils étaient tout excités, conscients que ce serait bientôt leur tour. La porte de leur cage s'ouvrait et les grandes mains chaudes de Vernon McKinney s'emparaient des chiots. Puis l'homme les caressait un moment, comme Mme Anderson autrefois. Bientôt, il embrassait Nelson sur la tête, et l'animal lui léchait le visage. Vernon avait un goût différent de Mme Anderson, mais Nelson l'aimait tout autant. L'homme semblait lui aussi apprécier l'affection du petit chien. Ensuite, Vernon déposait les deux compères dans l'aire de jeux, près du mur de cages. À l'intérieur, de nombreux jouets étaient à leur disposition – petits animaux en peluche, balles et joujoux couinants. Tout émoustillé, Nelson jouait fougueusement avec sa sœur. Plus intéressantes encore, les odeurs des autres chiens qui avaient fureté partout. Curieux, Nelson reniflait les moindres recoins du petit espace, en quête de nouvelles expériences olfactives, qu'il cataloguerait ensuite dans son cerveau en pleine croissance.

Tous les trois jours, Vernon donnait un bain aux chiots, à la grande joie de Nelson. Être dans l'eau le rendait toujours infiniment heureux. En revanche, il n'était pas particulièrement friand de la dernière phase. Vernon le maintenait entre ses immenses paluches et le passait sous le sèche-cheveux. Hélas, bientôt, les chiots regagneraient leur espace exigu et aseptisé. Vernon nettoyait leurs excréments, remplissait leurs bols de boulettes et changeait la paille, si elle était souillée. Les relents pestilentiels des produits chimiques donnaient parfois à Nelson envie de vomir. Par chance, l'odeur douce de Vernon imprégnait sa fourrure. Il se concentrait alors sur les fragrances de sa sœur et de l'homme noir, puis s'assoupissait. Ses rêves étaient peuplés d'herbe tendre et de saucisses appétissantes.

Trois jours après leur arrivée à l'animalerie, une jeune femme étudia attentivement la cage de Nelson et sa sœur, disparut, puis revint quelques instants plus tard avec Emil. Peu après, le commerçant sortit Nelson de son repaire, ce qui l'effraya terriblement. Il entendit sa sœur gémir juste avant que la porte ne se referme sur elle. Emil déposa le chiot dans l'aire de jeu, où la jeune femme s'était assise. L'animal la fixa, mal à l'aise. Non loin de là, Emil ne le quittait pas du regard. La jeune femme se rapprocha et prit Nelson dans ses bras. Elle caressa sa petite tête, l'examina sous toutes les coutures. Nelson la lécha plusieurs fois, ce qui la fit sourire.

Mais, au bout d'un moment, elle reposa le chien et quitta l'aire de jeu sans un regard pour lui. Le chien resta seul pendant une dizaine de minutes, puis Emil revint et l'empoigna avec brusquerie, blessant ses petites côtes. Sa colère était palpable, ce qui mit Nelson mal à l'aise. Désormais, il ferait tout pour éviter cet homme. Brutalement fourré dans sa cage, le chien se blottit contre sa sœur en tremblant.

La semaine suivante, les deux compères furent plusieurs fois sortis de leur cage et placés dans l'aire de jeu, où des acheteurs potentiels jouaient avec eux. Nelson attendait ces moments avec impatience. Pas pour les humains eux-mêmes, mais pour leur odeur réconfortante, et le temps qu'ils leur consacraient. En fait, il avait compris qu'Emil était moins furieux après lui s'il se montrait enjoué et amical envers les acquéreurs potentiels. Plus il s'ébattait, plus les humains souriaient, visiblement enchantés de ses cabrioles.

Mais chaque fois qu'un client renonçait à acheter Nelson, Emil le traitait avec un dédain redoublé. Âgé de deux mois, le chiot n'était pas plus gros que le poing. Il avait beau être costaud pour son âge, Emil le rudoyait tellement au moment de le remettre dans sa cage que c'en était parfois douloureux. Une fois, Emil le projeta si brutalement contre le mur que le chiot gémit de douleur. La souffrance perdura deux ou trois jours. Une autre fois, Nelson voulut lécher la main d'Emil, dans une tentative de fraternisation, mais l'homme s'emporta et lui cria après. Le chiot trembla de peur pendant une heure.

Quand la porte du box s'ouvrait et que leur nouveau maître passait sa main, Nelson sentait la frayeur de sa petite sœur, égale à la sienne. S'il venait la chercher, le chiot était temporairement content, puis s'inquiétait. Ensuite, il attendait impatiemment son retour. Quand la petite chienne regagnait leur domaine, son cœur se mettait à battre à tout rompre, sous le coup du soulagement, puis il la léchait et lui mordillait l'oreille pour la rassurer.

Un matin, tôt, la porte s'ouvrit de façon inattendue. Le magasin était désert. Emil sortit les deux chiots en les tenant fermement. Il les déposa dans une cage grillagée, similaire à celle de leur voyage en train, et verrouilla la porte. Après quoi, il jeta la cage à l'arrière de son vieux pick-up. Nelson et sa sœur prirent peur en entendant le rugissement du moteur de la camionnette, qui s'ébranla brusquement. À l'arrière, la cage était bringuebalée en tous sens, faisant glapir les deux chiots. Nelson sentit qu'ils quittaient de nouveau la ville. Les voitures faisaient un vacarme assourdissant et des odeurs toxiques agressaient leurs narines.

Peu après, le pick-up s'arrêta et Emil transporta la cage dans la clinique. La salle d'attente du vétérinaire dégageait la même odeur aseptisée que leur box à l'animalerie. Nelson sentait l'impatience d'Emil, qui avait pris place sur une chaise, la cage sur les genoux. À côté de lui, un jeune homme avec un grand labrador en laisse examina les deux compères et leur sourit. Il adressa la parole à Emil, qui répondit à l'inconnu d'un grognement bourru, mettant fin à la conversation. Plusieurs humains se trouvaient dans la pièce, ainsi que d'autres chiens. À proximité d'Emil, Nelson avait du mal à se rappeler le parfum chaleureux de la plupart des humains, pourtant il décelait la gentillesse de certains d'entre eux.

Au bout d'un moment, un homme grand, aux cheveux bouclés, vêtu d'une blouse blanche, apparut dans la salle d'attente et appela Emil. Dans la salle d'examen, le vétérinaire sortit les deux chiots de leur cage et les souleva un par un dans ses mains chaudes, avant de caresser leur petite tête. Nelson l'aima aussitôt. Son odeur réconfortante et ses gestes doux l'apaisaient. Les deux hommes entamèrent la conversation, qui devint rapidement houleuse. À un moment, Emil pinça la petite queue de Nelson. Puis il jura et s'en alla en secouant la tête.

Ainsi, le gentil vétérinaire de Boston avait refusé d'amputer les queues des deux chiots, malgré l'insistance de leur maître. Ils étaient en effet trop âgés pour cette opération et le vétérinaire ne voulait en aucun cas leur infliger une telle souffrance. Comme pour le remercier de sa sollicitude, Nelson et sa sœur agitèrent joyeusement la petite queue qu'ils avaient failli perdre. Le vétérinaire leur sourit en retour.

Puis il immobilisa Nelson et saisit une seringue rutilante. Nelson n'aimait pas l'odeur du liquide à l'intérieur, mais cet homme lui inspirait confiance. Une douleur fulgurante lui traversa l'arrière-train au moment où le vétérinaire fit les trois injections. L'endroit des piqûres fut douloureux pendant plusieurs jours, mais le chiot avait compris que c'était pour son bien. Le vétérinaire vaccina ensuite sa petite sœur, et Nelson lui mâchouilla gentiment l'oreille quand elle se mit à pleurnicher.

Le lendemain soir, dès son arrivée, Vernon se précipita vers ses deux petits protégés. Il était au courant des projets d'Emil, et fut soulagé de les voir tous deux remuer la queue avec entrain. Ce soir-là, il leur donna des restes de viande, récupérés après le barbecue du week-end, à la grande joie des deux compères, qui les avalèrent tout cru. Emil serait furieux s'il venait à découvrir que Vernon nourrissait ainsi les chiens en cachette, mais l'homme d'entretien n'avait pu résister à la tentation.

Habituellement, les chiots étaient vendus en moins d'une semaine dans l'animalerie d'Emil. Pourtant, Nelson et sa sœur étaient arrivés depuis trois semaines et personne n'avait souhaité les accueillir chez eux. Vernon ne comprenait pas pourquoi. Plus le temps passait, plus il les trouvait mignons. Leur fourrure s'était étoffée et leur petite queue frétillante faisait fondre son cœur un peu plus chaque jour. La clientèle habituelle de l'animalerie était sans doute trop snob pour acquérir un animal sans pedigree.

Vernon était un homme curieux, qui, en dépit de son absence de diplômes, passait ses week-ends à lire des ouvrages sur des sujets divers – les tortues des Galápagos, les sources chaudes d'Islande, l'histoire de Chine. De ce fait, la curiosité qu'il lisait dans le regard de Nelson en faisait un chien fascinant. Bien sûr, ce n'était pas vraiment ses yeux qui nourrissaient la curiosité de Nelson, mais son odorat. Néanmoins, Vernon n'avait pas tort de déceler un peu de lui-même chez ce petit animal.

Étant donné les contraintes financières de son patron, l'homme d'entretien s'inquiétait du sort qui attendait les deux chiots, si personne ne les achetait rapidement. Emil payait toujours son salaire au jour fixé et ne lui avait crié dessus qu'une seule fois en huit ans. Cela dit, Vernon était un employé consciencieux, de sorte que son patron n'avait aucune raison de lui faire des remontrances. Malheureusement, Emil n'aimait pas les chiens. Parfois, Vernon était effrayé par le regard glacial qu'il jetait aux deux bâtards.

Ainsi, le soir où il avait trouvé Nelson seul dans sa cage, une grande inquiétude l'avait saisi. Où était sa petite sœur ? Il observa son frère, assis dans sa cage, l'air éploré. Vernon le souleva et perçut l'immense chagrin du petit animal. D'habitude, le chien explosait de joie dès que Vernon venait le chercher. Il remuait la queue, lui léchait goulûment le visage et le mordillait gentiment. Ce soir, il demeurait immobile, comme sans vie. Il dédaigna même le morceau de bœuf que Vernon lui présenta.

L'espace d'un horrible instant, l'employé s'imagina qu'Emil avait commis l'irréparable avec la petite femelle. Mais en observant l'étiquette sur le devant du box, il lut la mention « VENDU » sous le titre « BEAGLE FEMELLE ».

Il passa environ une demi-heure à caresser Nelson, tentant de le ramener à la vie. Le chiot lécha les mains de son protecteur à plusieurs reprises, sans grand enthousiasme. Le malheureux n'avait pas pu dire au revoir à sa sœur. La porte de la cage s'était ouverte et une grande appréhension l'avait submergé quand il avait reniflé les mains d'Emil. Sa sœur avait été extraite du box, et la porte violemment refermée. Après quoi, il avait attendu son retour avec angoisse. Mais les heures s'étaient écoulées, sans signe d'elle. Au moment de l'arrivée de Vernon, Nelson était en proie à un profond désespoir.

Il décelait toujours l'odeur de sa sœur sur sa fourrure. Mais il avait beau se concentrer, il ne percevait plus aucune trace de Lola, sa mère, ou de Mme Anderson. Les souvenirs de leurs parfums étaient encore vivaces, mais il ne les sentait nulle part dans les environs. Quelque part, au fond de son cœur, il savait que l'odeur de sa sœur finirait par disparaître à son tour de son univers.

Vernon parvint à réconforter Nelson, suffisamment pour qu'il finisse par s'endormir. Le petit animal fut agité de rêves caustiques, imprégnés de l'odeur d'Emil. Peut-être Nelson sentait-il qu'Emil était éveillé dans son lit, en train de faire mentalement l'inventaire des chiots, et de se dire que le lendemain, à réception des quatre chihuahuas, il n'y aurait plus de place pour Nelson ? Le bâtard devait être rayé du catalogue.

4.

Katey Entwhistle avait adoré sa lune de miel en Italie, même si elle n'avait guère eu le temps de se détendre. Don était un touriste invétéré, assoiffé de découvertes. Il avait aussi un appétit sexuel effréné, de sorte qu'ils revinrent tous deux aux États-Unis plutôt fatigués. Malgré leur épuisement, Katey était plus heureuse que jamais.

Le soir, ils avaient arpenté les rues de Rome et dégusté de délicieux repas. Ils avaient sillonné la Toscane et l'Ombrie dans leur petite Fiat, émerveillés par la campagne verdoyante comme par l'art de la Renaissance. Enfin, ils avaient fait halte quelques jours à Positano pour explorer les montagnes escarpées et les eaux scintillantes. Tous deux étaient bronzés et radieux. Katey se sentait coupable de ne pas avoir joué de son cher piano pendant deux longues semaines, ce qui ne lui était jamais arrivé, même dans son enfance. Mais elle savait aussi que la musique pouvait attendre. La vie reprendrait son cours normal dès leur retour, si ce n'est que désormais, elle avait un mari qu'elle aimait tendrement.

Le vol Alitalia pour Boston avait été long et ennuyeux. Sur la suggestion de Don, ils avaient décidé de passer quelques jours dans la grande ville, avant de rentrer à Albany en voiture de location. Sa mère malade n'avait pas pu assister à leur mariage à New York, et même si elle ne comprenait plus tout ce qui se passait, elle apprécierait certainement leur visite.

Tous les jours, durant leur séjour à Boston, ils passèrent quelques heures avec la vieille dame dans sa maison de retraite. Sa chambre, comme le reste de l'établissement, avait l'odeur de la vieillesse – un mélange de déodorant bon marché, d'amidon, d'aliments bouillis à moitié consommés, et d'urine. Ce n'était pas nécessairement déplaisant, mais on savait exactement où on se trouvait.

Katey voyait bien qu'autrefois, Estelle, la mère de Don, était une femme à la fois belle et vive. Elle entendait quelques bribes de son histoire, et regrettait chaque fois amèrement de ne pouvoir assembler toutes les pièces du puzzle avant qu'Estelle ne retombe dans les limbes, en proie à la plus grande confusion. Au bout de quelques minutes de silence, la vieille dame reprenait la parole, mais sur un tout autre sujet. Ce petit jeu impatientait Don, qui avait tôt fait de suggérer à son épouse de partir, alors que la jeune femme pensait que le moment était mal choisi. Elle aurait en effet voulu se lier d'amitié avec la mère de son mari, qu'elle n'avait pas connue avant sa maladie. Par moments, Estelle la confondait avec sa sœur, ou la fille qu'elle n'avait jamais eue, ou encore l'ancienne petite amie de Don. Une fois, elle la prit pour la femme de ménage. Bien que Don lui ait répété maintes fois que Katey était désormais sa merveilleuse épouse, Estelle ne parvenait pas à s'en rappeler. La vieille dame adorait le fromage truffé savoureux que sa belle-fille avait glissé à son intention dans sa valise, en Italie. Ainsi, Katey lui apportait tous les jours un petit quelque chose à grignoter, à la grande joie de sa belle-mère.

À leur retour de voyage, la jeune mariée eut le sentiment étrange d'avoir été trompée, un sentiment que partageait Don, elle le voyait bien. La vie devrait être une lune de miel perpétuelle... Se promener au cœur de paysages fabuleux, partager de délicieux repas et faire l'amour tous les jours jusqu'à l'aube. Katey s'émerveillait du sourire chaleureux de Don, de sa passion pour l'histoire et de son implacable sens de l'humour. Si seulement la vie pouvait être toujours ainsi ! Ils s'efforcèrent de prolonger la magie de leur lune de miel par des dîners romantiques au restaurant et de longues balades à Boston. Mais les fameux bateaux-cygnes sur le petit lac faisaient bien pâle figure en comparaison des voiliers sur lesquels ils avaient exploré les criques de la côte italienne.

Un après-midi, après avoir rendu visite à la mère de Don, ils flânèrent dans les rues de Boston, main dans la main, riant et gloussant comme tous les jeunes amoureux. Un bretzel géant à la main, ils jetèrent un coup d'œil aux boutiques d'antiquaire. Ils avaient à peu près tout le nécessaire dans leur maison d'Albany et les cadeaux du mariage combleraient les lacunes. Néanmoins, ils étaient toujours à la recherche d'un souvenir de leur lune de miel qu'ils pourraient chérir éternellement. C'était davantage l'idée de Katey que celle de Don. Lui avait pris plus de six cents photos avec son appareil photo dernier cri – bien plus de souvenirs que nécessaire à ses yeux. En Italie, Katey avait déniché plusieurs petites statues et bibelots de porcelaine. Mais aucun de ces objets ne constituait le souvenir adéquat. Superstitieuse, la jeune femme espérait encore dénicher un souvenir spécial. Une tradition héritée de ses parents : toujours rapporter de leurs pérégrinations quelque chose qui véhiculait d'une certaine manière la signification de leur voyage.

Lorsque Katey était âgée de neuf ans, sa mère était venue la trouver dans sa chambre et lui avait annoncé avec douleur que son père, soldat, ne reviendrait pas à la maison. Il avait perdu la vie dans un pays lointain. Durant des années, la petite fille avait trouvé du réconfort auprès d'un crocodile en plastique acheté par ses parents lors d'un séjour en Floride. Quand elle pressait l'animal, il chantait un air d'Elvis. Sa grand-mère taquinait sans cesse son fils sur son manque de goût, mais après sa mort, Katey avait été reconnaissante d'avoir ce crocodile ridicule. C'était Don qui lui avait suggéré d'entrer dans l'animalerie d'une ruelle adjacente. Quand il était petit, sa mère adorait les tourtereaux et les perroquets, et il aimait observer les oiseaux lorsque l'occasion se présentait. À peine entrés, tous deux comprirent qu'il n'y avait pas d'oiseaux, et Don voulut s'en aller. Mais

Katey était plongée dans la contemplation des cages le long du mur. Depuis qu'elle était adulte, elle ne pensait guère aux chiens, pourtant enfant, elle les adorait. Le magasin comptait une grande diversité de races. Des poméraniens, des terriers, des carlins, des caniches et des chihuahuas. Dans les plus grandes cages, un dogue allemand et un labrador noir. Katey aurait pu passer des heures devant les vitrines, si elle n'avait senti l'impatience de Don, aussi se dirigea-t-elle vers la sortie.

Nelson était recroquevillé dans la petite cage de transport où Emil l'avait enfermé une heure plus tôt. Le chiot avait passé en revue toutes les odeurs du magasin depuis son poste, près de la caisse enregistreuse. En temps normal, il se serait enivré de ce kaléidoscope d'odeurs et d'émotions, mais le seul sentiment qui l'habitait à ce moment-là était la peur. Emil s'affairait dans le magasin, occupé à déballer des boîtes et s'acquitter de diverses corvées. De temps à autre, il souriait à un client qui déambulait dans l'animalerie. Nelson sentit combien il était enchanté d'avoir vendu un chihuahua à une dame âgée. Mais la plupart du temps, le chiot ne sentait chez lui que de la colère, en particulier quand Emil le fixait en jurant.

Focalisé sur Emil, Nelson remarqua à peine la jeune femme qui était entrée dans l'animalerie quelques instants plus tôt et examinait à présent le mur de cages. Le chiot fut surpris de la voir un peu tard insérer les doigts par la porte de sa cage, un grand sourire aux lèvres.

Katey remarqua le petit animal triste dans sa cage juste au moment de quitter le magasin au bras de Don. Un chien au pelage touffu et aux couleurs étranges – brun, blanc et abricot. Ses yeux étaient particulièrement remarquables, comme si on avait peint des cercles autour – un rond blanc sur le gauche, un rond brun sur le droit. Sa queue elle aussi sortait de l'ordinaire. Immense, ébouriffée et multicolore. Frappée par le désespoir du chiot, elle passa la main dans sa cage et tenta de le réconforter. Au début, l'animal l'ignora, mais bientôt, il la lécha avec excitation tout en la fixant de ses grands yeux bruns.

La jeune femme n'avait pas réfléchi à l'idée d'avoir un chien depuis des lustres. Comme elle avait vécu plusieurs années dans un appartement, c'était impossible. Certaines personnes avaient des petits chiens dans leur appartement et les promenaient deux fois par jour, mais elle considérait qu'un tel animal avait besoin d'un jardin pour gambader. Cela, elle l'avait appris durant son enfance. Quand Don et elle avaient emménagé dans leur maison quelques mois auparavant, l'idée d'avoir un chien ne lui avait pourtant pas traversé l'esprit, sans doute parce qu'ils étaient débordés par le déballage des cartons et l'adaptation délicate de la vie à deux.

Mais quand elle s'amusa avec ce petit chiot, dans l'aire de jeux de l'animalerie d'Emil, elle ressentit le désir irrépressible de le ramener chez elle. Le chiot la couvrit de baisers baveux et bondit autour d'elle avec ses babioles dans la gueule, la pressant de jouer avec lui. Lorsqu'elle le prit dans ses bras, il se blottit naturellement contre elle et la renifla. Elle jeta un coup d'œil interrogateur à son mari, qui lui sourit en retour. Nelson avait été instantanément rassuré par la fragrance chaleureuse de la jeune femme, sa gentillesse et ses yeux d'un brun sombre. Quand elle baissa le regard sur lui, son sourire charmant, sa peau lisse au teint de perle et ses cheveux noirs délicatement bouclés firent fondre son cœur de chien.

Après avoir regagné sa cage, Nelson pensa que la jeune femme allait le rendre à Emil, comme tous les autres clients qui avaient daigné lui consacrer quelques minutes. Mais elle n'en fit rien. Une conversation s'engagea. Emil se montra poli et amical envers sa cliente. La jeune femme parlait d'une voix douce, à la tonalité apaisante. L'homme à son côté prit part à la discussion. Les parfums de l'homme et de la femme s'entremêlaient sur chacun d'eux, comme s'ils étaient intimement liés. Une puissante odeur les imprégnait tous deux, à la fois intense, pétillante et fascinante. Plus tard, il apprendrait que c'était le désir humain.

Le corps de Nelson se raidit quand la jeune femme le reposa doucement dans la cage de voyage et en referma la porte. Il se recroquevilla près de la porte et tenta de lécher ses doigts en gémissant faiblement. Puis il leva les yeux sur Emil et trembla sous son regard froid. Mais ce jour-là, Emil ne le transporta pas hors de l'animalerie, comme il l'avait craint en son for intérieur. Désormais, il appartenait à Katey.

À ce moment-là, il ne savait pas encore que la jeune femme était le Grand Amour de sa vie.

5.

Les six premiers mois de la vie de Nelson auprès de Katey et Don furent marqués par une agréable routine. Le jeune chien comprit rapidement le mot que tous deux utilisaient sans cesse lorsqu'ils le caressaient ou le regardaient et bientôt, il répondit au prénom de « Nelson » chaque fois que l'un ou l'autre l'appelait ainsi.

Durant le trajet de Boston à Albany, la conversation se porta sur son prénom. Le choix était difficile, étant donné les caractéristiques et le comportement spécifiques du chien. Après avoir passé plusieurs heures à tester les prénoms usuels, Katey feuilleta les documents qu'Emil lui avait donnés et remarqua que le chiot était né à Nelson, dans le New Hampshire. Soudain, cela lui parut le prénom idéal pour son petit protégé. Don l'appréciait également car il lui rappelait Lord Nelson, l'amiral de marine britannique qui lui inspirait tant de respect, et dont il racontait l'histoire avec passion à ses étudiants de l'université. Katey avait un coup de cœur pour ce prénom, d'autant que Nelson Mandela était à ses yeux une figure admirable. Le petit chien, quant à lui, n'éprouvait aucun sentiment particulier à ce sujet, mais il était heureux que ses bienfaiteurs aient choisi pour lui ce terme spécial et sous peu, chaque fois que la jeune femme l'appelait, son cœur fondait.

La maison d'Albany n'était pas très grande, deux chambres seulement, dont une toute petite. La salle de bains et la cuisine étaient anciennes et le toit avait cruellement besoin de réparations. Mais les murs étaient fraîchement repeints et la décoration de bon goût. La maison était claire et accueillante. Surtout, elle sentait bon. À peine avait-il franchi le seuil qu'il huma l'atmosphère chaleureuse de la demeure, tout comme le baiser enflammé que Katey et Don échangèrent pour célébrer leur retour chez eux.

Au cœur de cette banlieue verdoyante, Nelson se délectait de la fraîcheur de l'air et des arômes mélodiques charriés par la brise constante. L'intérieur de la maison était chaud et douillet. Une nouvelle fois, Nelson inhala l'odeur de la lessive. Les sachets de lavande que Katey avait disposés dans des coins soigneusement choisis créaient une ambiance doucereuse.

Dehors, un jardin. Il n'était pas aussi spacieux que celui de Mme Anderson, une trentaine de mètres carrés seulement, mais avec le temps, Nelson développerait une relation intime avec ce jardin. Au moment où il s'installa dans son nouveau foyer, l'odorat du jeune chien était en pleine croissance. Il en vint à connaître le moindre centimètre carré avec un luxe de détails. Même s'il était incapable de la raconter, sa petite tête contenait désormais une histoire plus riche qu'une bible. Pas une histoire humaine, avec un fil narratif intelligible, mais définie par une myriade d'odeurs interconnectées. Une histoire qu'il déterrait simplement en explorant la pelouse de sa maîtresse. Elle lui contait la légende des créatures, grandes et petites, qui vivaient sur ces terres depuis des millénaires. De l'eau qui tombait des cieux et faisait pousser l'herbe et les fleurs. Une légende merveilleuse, dont il rêvait chaque nuit et qu'il écrivait chaque jour.

Katey et Don avaient planté plusieurs parterres de jolies fleurs – des impatientes, des soucis, des pâquerettes et des roses. Une fois écloses, les roses distillaient dans l'air un parfum irrésistible pour le jeune chien. Mais ses préférées entre toutes étaient les magnifiques tubéreuses blanches que la jeune femme avait mises en terre un mois plus tôt. Leur arôme était agréable le jour, mais la nuit, il prenait une toute autre intensité et révélait sa véritable fragrance mystique. Souvent, Katey et Nelson allaient dans le jardin après le dîner et inhalaient les tubéreuses ensemble. Elle le prenait dans ses bras, lui grattait la tête de ses doigts graciles, au grand bonheur du chien, et ensemble, ils s'enivraient du parfum envoûtant des fleurs. Cette expérience leur donnait le vertige. Katey adorait les fleurs blanches sculptées depuis que son amie indienne en décorait leur chambre à l'université.

En grandissant, l'énergie de Nelson devenait incontrôlable. À son arrivée chez Katey et Don, il mangeait raisonnablement, mais bientôt, quand Emil ne fut plus qu'un mauvais souvenir, son appétit se fit vorace. Il engloutissait les deux bols de nourriture pour chien que sa maîtresse lui présentait quotidiennement et se jetait sur la moindre miette concédée par Don ou Katey. La jeune femme aimait tester différents aliments sur Nelson, en évitant les raisins et le chocolat, comme elle l'avait lu. L'animal dévorait obligeamment tout ce qu'elle lui donnait, s'absorbant au préalable de l'arôme de chaque aliment.

Son premier repas lui était servi le matin, après le petit déjeuner de ses maîtres. Ensuite, Don quittait la maison pour la journée et, même si Nelson était vaguement inquiet à l'idée de ne plus le voir revenir, il reportait aussitôt son attention sur Katey. Elle lui donnait son repas puis prenait quelques minutes pour lui gratter le haut du crâne et lui disputer l'un de ses jouets. Elle lavait les assiettes dans la cuisine, puis faisait ses exercices quotidiens, sous l'œil attentif de Nelson, avant de prendre une douche. Après quoi, pendant quatre heures, elle travaillait son piano. Le jeune chien adorait ce moment de la journée. Il s'allongeait alors sous le Steinway, niché dans un coin du salon, que la jeune femme avait hérité de sa grand-mère. Katey laissait courir gracieusement ses doigts sur le clavier, faisait ressortir des sonorités tantôt douces, tantôt puissantes de l'instrument. Nelson trouvait la musique classique incroyablement apaisante. Si ses oreilles canines ne pouvaient interpréter les sons musicaux aussi précisément que l'ouïe humaine, il percevait néanmoins les importantes variations de tonalités et de rythmes, qui lui procuraient généralement d'agréables sensations. En fait, il discernait des fréquences aiguës et des harmonies inaudibles à l'oreille humaine.

Plus troublant encore pour le jeune animal, les senteurs du piano. La fragrance de sa jeune maîtresse flottait partout. Le piano distillait des parfums plus ténus, mais tout aussi séduisants. Au bout du compte, Nelson parvenait à distinguer trente, peut-être quarante différents types de bois utilisés pour la construction de l'instrument. Chacun d'eux, jeune ou vieux, recelait l'histoire d'un arbre, sa vie, ses moments de plénitude, ses moments de disette. Parfois, le chien apprenait d'autres récits, plus brefs, sur les animaux qui avaient vécu dans l'arbre, des insectes ou des oiseaux. Ensemble, ces récits formaient un tissu à la fois complexe et fascinant. Jamais il ne les appréhenderait en termes de mots ou de narration linéaire. Ces histoires lui étaient contées grâce au langage fugace et volatile des odeurs.

Chaque jour, après avoir répété ses œuvres classiques, Katey tapait vigoureusement du pied par terre et entonnait l'une de ses chansons pop préférées, *Here Comes The Sun*, des Beatles. Quand elle était petite, son père lui chantait cet air en la berçant sur ses genoux. Les harmonies entraînantes de la chanson étaient le moyen idéal de se libérer de la stricte dévotion exigée par son répertoire classique. Rapidement, Nelson s'accoutuma à ce rituel journalier. Pendant les exercices de la pianiste, le chien ne devait en aucun cas la déranger. Mais quand les pieds de son amie s'animaient, le rythme enflammait son petit corps et il bondissait sur le tabouret de piano pour lécher sa bien-aimée avec ardeur pendant qu'elle chantait d'une voix claire et forte. Il apprit à reconnaître cet air tant aimé, qui préfigurait son heure préférée de la journée. À la fin de la chanson, Katey attrapait en effet sa laisse et tous deux partaient pour leur promenade quotidienne.

Durant une demi-heure, parfois plus, ils se baladaient dans le quartier. Curieux de tout, Nelson tirait sans cesse sur sa laisse, mais il apprit rapidement à rester au côté de sa maîtresse. Sa promenade journalière était un opéra d'odeurs. L'animal n'avait jamais le temps de les absorber et de les cataloguer toutes dans son jeune cerveau.

Son odorat devenant de plus en plus puissant, de nouveaux besoins impérieux le tiraillaient parfois pendant ses promenades. Des effluves subtiles, fascinants, fugitifs, pénétraient ses narines pour disparaître aussitôt... C'étaient les parfums de forêts, de montagnes, de villes lointaines. Rapidement, il apprit à distinguer les odeurs de tous les humains et chiens habitant les alentours. Mais il reniflait souvent dans l'air des milliers d'autres. Où vivaient-ils ? L'univers était-il aussi infini que son nez le lui suggérait ? Par moments, il tirait désespérément sur sa laisse pour trouver des réponses. Katey l'obligeait alors à revenir près d'elle, l'enveloppant de sa fragrance, lui faisant oublier son désir d'explorer le monde. De retour à la maison, elle lui ôtait sa laisse et le prenait dans ses bras. Alors il lui léchait le visage pour la remercier de cette merveilleuse aventure quotidienne.

L'après-midi, sa maîtresse le laissait gambader librement dans le jardin. Parfois, il respirait son odeur dans la maison, mais il lui arrivait aussi d'entendre le cliquetis de la porte d'entrée, puis l'ouverture de la portière de la voiture, signal du départ de sa bien-aimée pour quelques heures. Son absence le rendait fou d'inquiétude. Il s'occupait en reniflant les moindres recoins du jardin et en s'amusant avec ses jouets. Mais il attendait son retour avec anxiété. Quand enfin le moteur de la voiture ronronnait dans l'allée, il ne pouvait plus se contrôler. Sa queue frétillait de joie et ses jappements sonores semblaient surgir du plus profond de ses entrailles. Peu après, Katey venait dans le jardin et il la fêtait avec une énergie et une fougue sans pareilles. Il était fier d'avoir veillé sur leur propriété en son absence.

À la fin de l'après-midi, la jeune femme lui apportait son dîner, et peu après, Don rentrait à la maison. L'attention de Katey se reportait alors sur son mari, mais Nelson s'en moquait. Don ne s'intéressait guère à l'animal, mais se montrait toujours amical avec lui. De temps à autre, le chien percevait son irritation et reniflait parfois une bouffée de colère, quand Don voulait sa femme pour lui tout seul. À la moindre alerte, le chien quittait discrètement la pièce ou s'asseyait sagement dans un coin, pour ne pas éveiller la jalousie de Don.

Nelson n'était pas autorisé à s'asseoir près de leur table pendant le dîner. La buanderie était fermée et Nelson attendait avec impatience derrière la porte, tandis que les arômes et les bruits de leur repas lui parvenaient depuis le salon ou la cuisine. Katey et Don discutaient en faisant la cuisine. Au début de leur mariage, le chien décelait la joie de ces conversations animées à propos des événements de la journée. Don, qui aimait cuisiner, tranchait la viande, découpait le poulet, préparait le poisson, émincait les légumes, les faisait griller ou sauter. Le chien salivait, quémandait un peu de nourriture. La plupart du temps, il recevait quelques restes après le repas. Katey le laissait entrer dans la cuisine et le mettait au supplice en agitant en l'air un morceau de peau de poulet ou une pâte. Bientôt, Nelson apprit à mériter ces offrandes en s'asseyant docilement, au lieu de bondir dans tous les sens. Sa maîtresse lui donnait alors l'objet de sa convoitise. C'était pour lui un dessert, une friandise, après son dîner composé de croquettes et d'aliments pour chiens.

Parfois, le couple le laissait s'allonger près d'eux pendant qu'ils regardaient la télévision. Féru de sport, Don adorait regarder les matches. Ses cris et ses effusions devant l'écran de télévision déconcertaient un peu Nelson. Le chien se lovait sur les genoux de sa bien-aimée pendant qu'elle lisait un livre. Katey aimait se couler contre son mari pour regarder une émission. Nelson s'allongeait à leurs pieds et comprit bientôt que ce type de câlins entre les jeunes mariés les amenait souvent à faire l'amour.

Durant les deux premiers mois de leur mariage, les tourtereaux faisaient l'amour presque tous les soirs dans leur chambre à l'étage. Dès son arrivée à Albany, le chien avait dormi dans le lit de ses maîtres. L'appréhension de Don était palpable, la première fois que Katey avait emmené l'animal dans leur lit. Ils étaient donc tombés d'accord pour installer dans la chambre une petite niche en plastique dotée d'une fermeture Éclair, où Nelson pourrait dormir si le couple désirait un peu d'intimité. Au final, le chien passa la majorité de ses nuits dans le lit avec eux.

Avant de se coucher, Nelson cherchait activement l'horrible rat en plastique que sa maîtresse lui avait rapporté un jour du supermarché, par espièglerie. L'affreux rongeur devint rapidement le joujou préféré du chien, sans doute parce qu'il résistait vaillamment à ses penchants destructeurs, contrairement à toutes ses autres victimes. Une fois le rat localisé, Nelson courait trouver sa maîtresse pour la supplier de jouer avec lui. La jeune femme lui disputait le rat avant de le jeter en travers de la pièce. Nelson l'attrapait au vol et se retranchait dans un coin pour le mâchonner à son aise, pendant que Katey et Don se préparaient à aller au lit. Nelson était devenu particulièrement borné concernant son rituel du coucher. La jeune femme se disait souvent que la routine familiale était essentielle pour le petit animal. Alors que tant d'autres préoccupations humaines, comme l'ambition ou l'ego, n'avaient aucun sens pour lui.

Ensuite, Katey, Don et Nelson se couchaient dans le grand lit conjugal. L'animal savait qu'ils étaient sur le point de faire l'amour quand de puissantes émanations émergeaient de leurs corps. Leurs ébats le laissaient perplexe. Que faire ? Généralement, il s'installait de l'autre côté du lit et assistait au spectacle, tentant de comprendre ce qu'ils faisaient. Don poussait des grognements et Katey gémissait. Parfois, ils faisaient l'amour très longtemps, et d'autres odeurs corporelles envahissaient les narines de l'animal. Enfin, elles atteignaient un pic, puis s'effaçaient progressivement. Après quoi, le couple tombait endormi.

Durant ces ébats, Nelson s'employait à malmener son rat. Une fois leur affaire terminée, le chien prenait place pour la nuit. Katey aimait se lover contre Don pour dormir, mais son mari aimait profiter de son propre espace et rapidement, leurs corps se séparaient. Au début, Nelson recherchait la meilleure place possible, idéalement une partie poilue du corps de Don, comme ses jambes ou sa poitrine. Mais l'homme ne voulait pas de l'animal près de lui et le repoussait fermement. En revanche, Katey adorait avoir Nelson tout contre elle. Le petit chien se roulait en boule contre son estomac et sombrait lentement dans le sommeil. L'odeur toute proche de sa bien-aimée était douce et apaisante. Il demeurait ainsi contre elle toute la nuit. Parfois, Katey faisait un mauvais rêve. Après toutes ces années, il lui arrivait encore de se réveiller en sursaut, bouleversée par le souvenir lointain de son père décédé. D'autres fois, ses nuits étaient tourmentées par le staccato des mitraillettes ou les vociférations de voix étrangères, qui parlaient une langue inconnue. Au fil des mois, les ronflements ténus de Nelson agirent comme un baume sur ses angoisses. La jeune femme embrassait le chien sur la tête, tandis que son petit corps se soulevait légèrement au rythme de sa respiration. Apaisée, elle se rendormait, et des songes plus doux l'attendaient.

Ainsi, la vie du petit Nelson était désormais inextricablement liée à celle de sa bien-aimée. Oui, Don était lui aussi un membre de la famille, et les jours et les nuits de l'animal étaient entièrement rythmés par sa maîtresse, qui devint le centre de son univers. La complexité de son parfum était le trait le plus marquant de l'air ambiant. Au plus profond de son petit cœur de chien, un immense amour avait mûri au fil des mois. C'était le Grand Amour. Ce n'était pas parce que la jeune femme lui donnait à manger tous les jours, même s'il lui en était reconnaissant. Non, Katey était son Grand Amour parce qu'elle faisait de son univers tout entier un lieu merveilleux, un lieu de félicité absolue. Le jeune chien ne savait encore rien du sentiment de perte, qu'il expérimenterait à l'avenir de terrible manière, mais il suffisait que sa bien-aimée quitte la maison quelques heures pour qu'il souffre cruellement de son absence. L'amour était là. Et avec lui, d'autres émotions avaient grandi dans son cœur canin. Le besoin de la protéger, de lui montrer sa dévotion, de la couvrir de louanges, de partager tout ce qu'il avait avec elle. Si un quelconque danger la menaçait, il la défendrait de toutes ses forces.

Nelson sentait bien que Katey, elle aussi, l'aimait. À sa façon de le caresser, de lui gratter la tête. À sa façon de lui parler, après ses exercices de piano, pendant qu'elle faisait le ménage ou cuisinait. Il ne comprenait pas ses paroles, en dehors d'un ou deux mots, mais il savait que c'était à lui qu'elle s'adressait et cela l'enchantait.

Le chien nourrissait aussi une grande passion pour les os, même si elle n'était pas de la même intensité. Don lui en donnait un de temps à autre. L'animal s'allongeait alors dans le jardin et le rongeait avec ardeur. À force de planter ses petites dents dans l'os, des senteurs en émanaient, peuplées de légendes à propos de cet animal, de sa vie, de son histoire. Les os renfermaient autant de récits que l'herbe. Après avoir mâchonné son os un bon moment, Nelson creusait un trou dans le jardin pour l'y enterrer. Katey pouvait en avoir besoin un jour. Et si jamais elle venait à manquer de nourriture ? Il ferait des réserves pour s'assurer que sa bien-aimée n'ait jamais faim.

Une fois l'os enseveli dans la terre, Nelson aboyait. Quand il n'était encore qu'un chiot, ses jappements étaient adorables. Mais à présent, il avait de la voix. Ses aboiements avaient l'intensité d'un caniche et la tonalité caverneuse d'un beagle. Katey souriait pour elle-même en l'entendant japper dans le jardin. Jamais plus de deux ou trois aboiements sonores, sauf à l'arrivée du facteur. Le message était clair : *Moi, Nelson, grand protecteur de Katey Entwhistle, déclare solennellement être le fier gardien de cette maison, de ce jardin et de cette famille.*

Un matin, au lieu de travailler son piano, la jeune femme prit la laisse de Nelson. Le chien fut tout excité en entendant le cliquetis familier, mais aussi déconcerté. D'habitude, leur promenade avait lieu plus tard dans l'après-midi. Cependant, Katey se voulait rassurante et Nelson avait toute confiance en elle.

Une fois à l'extérieur, Nelson tira sur sa laisse pour emprunter le chemin habituel, mais sa maîtresse le souleva et le déposa sur le siège avant de sa voiture. Prenant place derrière le volant, elle démarra le moteur. Nelson était perplexe. Il connaissait si bien sa maîtresse qu'il n'avait pas peur, mais il était habitué à sa routine quotidienne et aimait savoir à quoi s'attendre. Comme si elle avait senti son appréhension, Katey entrouvrit la vitre du côté passager, de sorte que des senteurs diverses se déversèrent dans l'habitacle. Une distraction bienvenue, qui occupa l'animal durant le reste du trajet jusque chez le vétérinaire.

Le souvenir de sa dernière visite chez le praticien était encore fortement ancré dans sa mémoire canine. Les odeurs aseptisées des lieux lui rappelaient Emil et le cœur du chien se mit à battre la chamade. Heureusement, la fragrance chaleureuse de sa bien-aimée l'enveloppait toujours. Et quand Katey lui caressa gentiment la tête en lui parlant avec douceur, il sut que tout se passerait bien.

Pourtant, le regard de sa maîtresse reflétait une pointe de tristesse, au moment où elle l'embrassa pour lui dire au revoir et le confia au vétérinaire. En entrant dans la salle d'opération, Nelson se dit que l'odeur de l'homme n'était en rien menaçante. Katey occupait toutes ses pensées. Il se mit à gémir doucement. Où était sa bien-aimée ?

Il se tut bientôt, effrayé par le vétérinaire et les deux infirmières qui s'étaient penchées au-dessus de lui pour l'examiner. Nelson inhala l'odeur du liquide qui gouttait de la grosse seringue, mais avant d'avoir eu le temps de comprendre de quoi il s'agissait, le vétérinaire lui injecta le produit à l'aide d'une aiguille, et Nelson s'endormit.

6.

Katey ne voulait pas faire castrer son petit protégé. Elle adorait Nelson et rêvait de le voir un jour entouré de petits chiots à son image. Mais Don, comme le vétérinaire, l'avaient encouragée à le faire. Sur des forums d'associations de protection des animaux, elle avait lu toutes sortes de commentaires mis en ligne par des activistes. Certains, un peu trop virulents à son goût, qualifiaient par exemple les éleveurs de « meurtriers », tandis que d'autres, plus mesurés, avançaient des arguments pertinents. Quand des centaines de chiens étaient exterminés chaque année dans les fourrières américaines, était-il moral de reproduire son chien ? Oui, vous pouviez trouver un foyer à ses petits, mais cela signifiait que d'autres bêtes, dans les fourrières, ne trouveraient personne pour les recueillir et seraient vouées à une mort certaine.

Ainsi, la jeune femme finit par se persuader que c'était la meilleure chose à faire. Néanmoins, son cœur se brisa quand elle remit ce matin-là son petit protégé entre les mains du vétérinaire, en pensant à la souffrance et l'incompréhension de l'animal, sans parler du fait qu'il ne pourrait jamais se reproduire. Lorsqu'elle le récupéra quelques heures plus tard, il était encore groggy. Se sentant coupable de lui avoir fait subir cette opération, Katey lui acheta un luxueux collier de cuir brun, piqueté de grosses pointes de métal. Elle fit également graver son nom et son adresse sur une plaque d'argent, pour remplacer son étiquette plastifiée. Insensible à ces cadeaux matériels, le petit chien passa le reste de la journée dans un brouillard cotonneux, à se remettre de ses émotions. Il n'avait qu'un vague souvenir de son réveil après l'opération. Son corps, relié à plusieurs machines qui bipaient continuellement, avait reçu plusieurs injections. Cette nuit-là, après un dîner spécial composé d'un hamburger, il s'allongea près de sa maîtresse, inconscient de l'épreuve qu'il venait de traverser, en dehors d'une douleur sourde au niveau de l'arrière-train. Il gémit et Katey lui gratta la tête pendant une heure, pour son plus grand plaisir. Don embrassa sa femme et lui assura qu'elle n'avait pas à s'inquiéter, que dans un jour ou deux, Nelson serait de nouveau sur pieds.

En effet, la douleur s'estompa rapidement et l'animal retrouva toute son énergie. Cependant, Katey nota un léger changement dans son comportement, comme si une partie de lui était morte. Le chien était moins chahuteur, moins turbulent. Don trouvait au contraire que sa personnalité s'en trouvait améliorée.

Lorsque Nelson huma l'air du jardin le lendemain de son opération, les effluves du monde extérieur lui parurent plus puissants que jamais. Seule la curiosité titillait son odorat, et non le sentiment qu'il ne pourrait jamais avoir de petits. Si Katey ne l'avait pas fait castrer, ses enfants auraient peut-être un jour sillonné le monde, les plus chanceux auraient trouvé un foyer auprès des humains, tandis que les autres auraient été exterminés dans une macabre fourrière quelconque. Mais cela n'arriverait jamais. Nelson était le dernier de sa lignée. L'animal ne réfléchirait jamais à cette idée, pas plus qu'il ne s'interrogerait sur le but d'une existence sans enfants. Katey était la seule à avoir de telles considérations.

Pour Nelson, le départ de sa bien-aimée la semaine suivante fut bien plus traumatisant que sa récente opération. Pendant les six semaines de son voyage, le chien ressentirait cruellement chaque minute de son absence. La journée, Don le laissait gambader dans le jardin, pendant qu'il allait travailler, puis rentrait du bureau en début de soirée. Parfois, il emmenait Nelson faire sa balade quotidienne, mais ces sorties l'ennuyaient et l'agaçaient, si bien que le plus souvent, il s'installait devant la télévision avec une bière et une pizza, le chien à ses pieds. Nelson était fou de pizza. Don lui en donnait souvent quelques morceaux froids le matin. C'était aussi bon froid que chaud. Parfois, le chien avait droit à une part entière, qu'il dévorait jusqu'à la dernière miette, avec la même félicité que si c'était un os.

Pendant sa tournée de concerts, Katey pensa beaucoup à Nelson, qui lui manquait bien plus qu'elle n'aurait pu l'imaginer. Ses représentations reçurent un accueil chaleureux dans quatre villes différentes, lui conférant une immense satisfaction. Son agent avait déjà prévu plusieurs autres concerts pour l'année à venir. La jeune femme était tout excitée à l'idée de sa carrière naissante, mais en concevait aussi une certaine appréhension. Une partie d'elle ne voulait pas passer trop de temps loin de Don. Ni, se l'avoua-t-elle, loin de Nelson. Parfois, au beau milieu d'une représentation devant des milliers de gens, lors de discussions passionnantes avec des musiciens ou des chef d'orchestre renommés, ou encore lors de dîners avec des collègues dans des restaurants chic, elle se surprenait à regretter de ne pas être simplement chez elle, auprès de son mari et de son chien.

Quand enfin elle regagna le bercail, Nelson la fêta pendant plus de vingt minutes. Il bondissait autour d'elle en jappant joyeusement et en agitant la queue avec frénésie. Elle le souleva et il lui lécha avidement le visage, tout en s'imprégnant goulûment de son odeur. Elle serra le petit chien contre son cœur et l'embrassa. Ce jour-là, il ne la quitterait pas d'une semelle, incapable de contenir sa joie d'avoir retrouvé son Grand Amour.

Écoutez *The Great Love* :
www.youtube.com/watch?v=_WPdZIOulqw.

7.

À l'âge d'un an, Nelson avait atteint sa taille adulte. Pourtant, il avait toujours la fougue et l'impétuosité d'un chiot, qui mâchonnait tout ce qui lui tombait sous la dent. À deux ans, il avait acquis une certaine maturité. Sa queue se dressait, haute et fière, telle la bannière d'un soldat romain annonçant la victoire. Le jeune chien gambadait dans le jardin avec panache. Et dans son regard, Katey croyait déceler une forme de sagesse. Était-ce les cercles colorés autour de ses yeux ? Toujours était-il qu'ils semblaient empreints d'une profonde connaissance.

Peu après son deuxième anniversaire, l'existence de Katey, Don et Nelson subit d'importants changements. Soudain, Don passait tout son temps à la maison. Au début, Nelson crut qu'il s'agissait d'un week-end interminable, mais il comprit bientôt que Don n'était pas heureux de rester à la maison. Le jeune animal n'était pas au courant des événements qui avaient provoqué son injuste renvoi, mais la colère et la frustration suintaient par tous les pores de la peau de l'homme. Don adorait son métier de professeur et donnait ses cours d'histoire avec humour et entrain. Quand des suppressions de postes suivirent de sévères coupes budgétaires à l'université, Don vit avec consternation d'autres professeurs conserver leur position grâce à leur ancienneté et leur titularisation, alors qu'ils avaient depuis longtemps perdu la passion et le professionnalisme avec lesquels Don enseignait. Après son renvoi, il passait plusieurs heures par jour devant son ordinateur, à chercher avec fièvre de nouvelles opportunités. Il tentait aussi de tuer le temps en lisant des ouvrages sur son domaine de prédilection et en écrivant des articles académiques. Mais au fil des mois, ses chances de trouver un nouveau poste dans le milieu universitaire semblaient de plus en plus ténues. Don se mit à regarder la télévision et à déambuler sans but dans la maison. Quand Nelson sentait l'odeur de la bière, il s'éloignait prudemment de lui. Parfois, une disputa éclatait entre Don et Katey. L'animal ne comprenait pas de quoi ils parlaient. Il ne comprenait pas le sentiment d'échec qui rongeait insidieusement Don, à mesure que la carrière de sa femme prenait de l'essor. Néanmoins, le chien sentait la tension grandissante de leurs échanges. Parfois, ils ne se parlaient plus du tout. Don hurlait après sa femme, qui lui assénait quelques reparties cinglantes. Après quoi, tous deux se muraient dans le silence. Ces querelles mettaient Nelson très mal à l'aise. Il se recroquevillait dans un coin et observait le couple, dans l'atmosphère délétère.

De temps à autre, Nelson essayait de réconforter Don en le léchant ou en jouant avec lui dans le jardin. Parfois, un sourire éclairait son visage et sa négativité se dissipait. Mais le plus souvent, Don le repoussait avec brusquerie. Katey elle aussi avait besoin de réconfort, ce que Nelson était heureux de lui apporter. Les moments qu'ils passaient ensemble pendant ses exercices de piano quotidiens n'étaient plus aussi enjoués qu'avant. Le plus souvent, ils étaient interrompus par Don, qui faisait irruption dans la pièce pour faire un commentaire désobligeant à sa femme. Quand il s'en allait, Katey reprenait son travail, mais ses pensées étaient ailleurs, bien loin de la musique. À plusieurs reprises, elle abandonna son rituel et ne chanta pas *Here Comes The Sun* avec Nelson. Le chien l'observait alors d'un air implorant, conscient que quelque chose avait changé.

Désormais, le couple faisait rarement l'amour plus de deux fois par semaine. Leurs ébats n'étaient plus marqués par l'explosion de senteurs que Nelson avait remarquée au début. Ils s'étreignaient en silence et terminaient rapidement leur affaire. Ces derniers temps, tous deux restaient longtemps éveillés dans le lit, incapables de trouver le sommeil. Le chien attendait toujours qu'ils soient assoupis pour dormir à son tour. Il voulait être sûr que ses deux maîtres allaient bien.

Katey encouragea plusieurs fois Don à emmener Nelson en balade, espérant que cette sortie au grand air aurait sur lui le même effet revigorant que sur elle. Mais alors que sa bien-aimée laissait l'animal s'arrêter à sa guise pour renifler les arbres et les chiens qui croisaient leur route, Don semblait toujours pressé de rentrer à la maison et le tenait fermement en laisse.

Le jour où Katey embrassa Don pour lui dire au revoir, une grande valise à la main, Nelson fut pris de peur, une peur qu'il n'avait pas ressentie depuis bien longtemps. Chaque fois que sa maîtresse emportait ce bagage, il savait qu'elle serait partie plusieurs jours. Elle revenait toujours, mais malgré cette assurance, le chien craignait de ne plus jamais la revoir. Un autre élément préoccupait encore plus Nelson : l'étrange odeur qu'il avait décelée sur Don. Une odeur nouvelle, qui lui laissait un sentiment de malaise et d'appréhension.

Ce soir-là, peu après leur dîner composé d'une pizza devant la télévision, Don se doucha et s'aspergea d'eau de Cologne. D'ordinaire, Nelson ne sentait ce parfum que le matin. Un peu plus tard, la sonnette de l'entrée retentit. Comme à son habitude, l'animal consciencieux fonça vers la porte d'entrée en aboyant, désireux de protéger la famille d'un éventuel intrus. Il arriva avant son maître et remua la queue de contentement, enchanté de lui montrer qu'il était un bon chien de garde.

Don ouvrit la porte. Sur le seuil se tenait une jeune femme, environ du même âge que Katey, un peu moins de trente ans. Le jeune chien renifla instantanément son parfum, ainsi que l'odeur caustique du vernis à ongles. Son cœur s'emballa. Qui était cette inconnue ? Déconcerté, il se mit à aboyer comme un forcené. La femme éclata de rire, imitée par Don, visiblement nerveux. Don s'agenouilla pour calmer le chien, dont les jappements redoublèrent. Comme l'intruse s'était avancée, son parfum se mêla à l'atmosphère de la maison, empreinte de l'odeur de Katey. Comprenant que quelque chose n'allait pas, Nelson aboya de plus belle.

Agacé, Don lui cria de se taire. L'animal refusa d'obéir, persuadé que la situation était anormale, mais finit par obtempérer quand Don s'approcha de lui d'un air menaçant. Il le transporta alors dans la buanderie et l'enferma dans la petite pièce. Nelson guetta anxieusement son retour toute la nuit derrière la porte. Dans la maison, il percevait les gloussements et les rires étouffés des deux humains. Il aboya de nouveau en les entendant aller dans la cuisine et ouvrir une bouteille de vin. Après quoi, ils disparurent à l'étage.

C'était la première fois que Nelson dormait seul dans la buanderie. Une expérience fort désagréable. Il avait froid, malgré le panier garni d'oreillers que Katey avait aménagé à son intention quand elle faisait la lessive. Quand Don vint le chercher le lendemain matin, il découvrit une belle crotte de chien au beau milieu de la pièce. Il réprimanda un Nelson tremblant, mais sous le regard soupçonneux du chien, il n'eut pas le courage de le punir.

La nuit suivante, les choses semblaient être revenues à la normale. Nelson fut autorisé à gagner la chambre de l'étage, et même à dormir dans le lit avec Don. D'habitude, cela le mettait chien en joie, mais Nelson ne dormit guère. L'inconnue de la veille avait laissé son odeur partout sur le lit. Une odeur forte, doublée de relents âcres, qui couvrait la fragrance douce et rassurante de sa bien-aimée. Nelson décelait également l'odeur que Don dégageait après avoir fait passionnément l'amour à sa femme. Ces horribles émanations dans la chambre perturbaient le chien. Il avait ses habitudes et ne voulait pas les voir bouleversées.

L'intruse revint plusieurs fois en l'absence de Katey. Quand Nelson eut appris à la reconnaître, avec ses taches de rousseur et ses cheveux courts, il cessa de lui aboyer dessus. Don, culpabilisant sans doute d'avoir enfermé Nelson dans la buanderie froide, l'autorisa à dormir dans la chambre à l'étage, dans sa niche de plastique. Le chien restait allongé, fulminant après Don et la femme rousse avec qui il faisait l'amour pendant des heures. Leurs odeurs l'agressaient. Il aurait tant aimé que sa bien-aimée rentre à la maison.

Quand Katey revint enfin, une semaine plus tard, elle remarqua que son petit protégé avait un comportement étrange, comme s'il était un peu déprimé. Nelson fêta le retour de son héroïne avec la même ardeur, mais le reste de la journée, il la suivit sans grand enthousiasme. Katey demanda à Don si d'après lui Nelson avait un problème, mais son mari se contenta de grommeler une réponse inaudible.

Cette nuit-là, l'étreinte du couple fut sans passion. Après, ils discutèrent. Nelson sentait la tension de l'atmosphère. Les deux semaines suivantes, la vie retrouva à peu près son cours normal et le chien recouvra sa joie de vivre. Les événements récents avec la femme rousse furent vite oubliés. Une fois ou deux, il crut déceler son parfum sur Don, quand il revenait à la maison après plusieurs heures d'absence. Mais l'essentiel, c'était que Katey était rentrée.

Don et Katey ne se disputaient pas, mais ne parlaient pas beaucoup non plus. Le couple avait repris ses petites habitudes. Katey pratiquait son piano chaque jour un peu plus longtemps. Allongé sous le Steinway, Nelson sentait l'appréhension affleurer dans les airs qu'elle jouait. Désireux de chasser son mal-être, il l'entourait de tout l'amour qu'il pouvait puiser en lui. À mesure que grandissait son amour pour Katey, Don devenait peu à peu dans son esprit un être tout juste toléré, et non un membre respecté de la famille. Il ne lui témoignait plus guère d'affection et s'efforçait de l'éviter. Alors qu'une certaine froideur s'installait entre Katey et Don, la jeune femme passait de plus en plus de temps avec Nelson. Le soir, elle s'asseyait de longues heures dehors avec lui. Tous deux respiraient toujours les tubéreuses ensemble, mais les pensées de sa bien-aimée étaient ailleurs. Elle s'installait tranquillement dans sa chaise longue et contemplait les étoiles, tout en grattant la tête de Nelson, en boule sur ses genoux. Au loin, le chien entendait Don s'animer devant son match à la télévision.

Plus tôt que prévu, la pianiste fit de nouveau ses bagages et repartit en tournée. Abattu, Nelson s'assit près de la porte d'entrée et vit Don et Katey s'étreindre sans grande chaleur. Elle serra le chien dans ses bras pour lui dire au revoir, mais après son départ, Nelson ressentit un profond désespoir. Cet après-midi, Don avait passé quelques heures à jouer avec lui dans le jardin. C'était plutôt inhabituel, et très plaisant. Peut-être que les choses allaient s'arranger, après tout. Don jeta une balle au chien, puis lui courut après pour la lui reprendre. Sous le soleil éclatant, ils jouèrent un bon moment. Le soir venu, Nelson s'étendit avec bonheur aux pieds de Don pendant qu'il regardait la télévision. Don le caressa et Nelson se dit que, même si Katey lui manquait, la situation s'arrangeait.

Plus tard dans la soirée, on sonna à la porte. Nelson bondit vers l'entrée en glapissant. Don le suivit sans se presser. Sous la porte, le chien sentit l'odeur de la femme rousse. Il aboya de toutes ses forces. Don marqua un temps d'arrêt devant l'entrée, puis il prit Nelson dans ses bras avant de l'entrebâiller. Il lui ordonna de se taire, et le chien s'exécuta à contrecœur. Quand la porte s'ouvrit, le parfum caustique de la femme envahit la maison. Don discuta un peu avec elle, sans cependant retirer la chaîne de sécurité. À un moment, elle s'avança, visiblement désireuse d'entrer, mais son amant ne l'y autorisa pas. La conversation s'envenima plusieurs fois, puis s'acheva sur une note plus douce. Enfin, Don referma la porte et la femme rousse s'en alla.

En reprenant sa place devant la télévision, Don était visiblement distrait. Nelson tenta de le rassurer en lui léchant le visage, mais son compagnon le repoussa. Il regardait un programme sportif, mais ne semblait pas aussi captivé que d'habitude. Il se contentait de fixer l'écran, soupirant de temps à autre, en sirotant sa bière. Nelson s'assoupit. Il rêva qu'il se trouvait dans leur jardin, quand les fleurs se flétrirent, gâtées par le parfum nauséabond de la femme rousse. Quand il se réveilla quelques heures plus tard, Don était au téléphone, en train de parler à voix basse. L'odeur du désir flottait dans l'air.

Nelson dormit une nouvelle fois dans la buanderie. Par moments, il entendait les bruits étouffés de Don et la femme rousse, en train de faire l'amour à l'étage. Le chien gratta à la porte, désespéré de gagner la chambre et de les arrêter. Katey devait à tout prix être protégée. Mais la porte était bel et bien close.

Le lendemain, Nelson aboya après Don dès qu'il le libéra. Don alla aussitôt dans la cuisine chercher un os pour le chien, qui jappa de plus belle. Il lui hurla alors de la fermer, et l'animal n'obtempéra que parce qu'il sentit la colère de son maître sourdre par tous les pores de sa peau.

Nelson fut soulagé de retrouver Katey le soir même. À présent, il savait qu'elle devait être protégée de son mari. L'animal ne la quitta pas d'une semelle, et aboya de temps à autre après le traître. Celui-ci gloussait nerveusement, à la grande surprise de la jeune femme. Katey passa une heure dans le jardin avec Nelson, à jouer et le flatter tout en se demandant ce qui le tracassait. Elle craignait que ses voyages fréquents n'aient perturbé son petit protégé. Un moment, elle imagina l'emmener avec lui, mais l'emploi du temps contraignant d'une tournée de concerts rendait l'expérience impossible. Si seulement elle pouvait simplement demander à Nelson ce qui n'allait pas ! Mais quand elle essayait, l'animal se contentait de la fixer de ses grands yeux ébahis.

Ce soir-là, Katey monta dans sa chambre avant son mari. Comme il voulait regarder une émission tardive à la télévision, elle le laissa seul. Son voyage l'avait épuisée. Elle prit Nelson et le déposa sur le lit, avant de s'asseoir devant son miroir pour se brosser les cheveux, chose qui la détendait toujours avant d'aller se coucher.

Nelson bondit sur le lit. L'odeur de l'autre femme était imprégnée partout, comme si elle était encore présente. Le chien inspira profondément le parfum détestable, impatient d'en atteindre le cœur. La femme rousse se trouvait quelque part dans les draps froissés. Il fourra sa truffe dans les couvertures, en quête de la source olfactive.

Soudain, Katey entendit Nelson aboyer. Elle lui ordonna de cesser ce vacarme, mais il ne lui obéit pas. Apeurée par ses jappements furieux, elle courut le rejoindre, craignant la présence d'un intrus. L'animal affolé se tenait au beau milieu des draps et elle grimpa sur le lit pour le rassurer. C'est là qu'elle découvrit la lingerie couleur argent qui ne lui appartenait pas.

8.

Nelson flaira les émotions intenses de Katey pendant plusieurs semaines après cet incident. Les raisons exactes de cette agitation émotionnelle lui échappaient. Il n'imaginait pas combien il était douloureux pour la jeune femme de voir le vase fragile du mariage se fêler. Surtout, il ne connaissait pas ce sentiment proprement humain de la trahison. En revanche, il comprenait pleinement la profondeur et l'atrocité de ces émotions, qui avaient brisé le cœur de son Grand Amour. Ainsi, le chien fit tout son possible pour la réconforter et lui rappeler que le monde pouvait être un endroit heureux. Katey s'allongeait pendant des heures dans l'herbe, au soleil, avec son compagnon à quatre pattes. Même si elle ne voulait pas jouer, Nelson bondissait autour d'elle pour l'y inciter. Quand elle pleurait, il léchait ses larmes. Si Don et son père se mêlaient dans d'étranges cauchemars, son fidèle compagnon était là au moment où le corps de sa bien-aimée était secoué de frissons jusqu'à ce qu'elle se réveille en sursaut, affolée. Il se lovait contre elle et peu à peu, les ombres de la nuit semblaient moins oppressantes.

Le couple eut plusieurs confrontations sérieuses. Après la découverte du sous-vêtement de l'autre femme dans leur lit, Katey attendit une demi-heure, plongée dans ses pensées, avant de confronter son mari. L'homme se défendit en sanglotant, faisant naître chez sa maîtresse une fureur d'une violence que Nelson n'aurait jamais pu soupçonner. Pourtant, le chien n'avait pas peur. Cette colère était exclusivement dirigée contre son mari, et jamais elle ne blesserait quiconque physiquement, pas plus Don que Nelson. Malgré cette querelle, Don ne quitta pas la maison. Pendant plusieurs semaines, il dormit sur le canapé du salon. Souvent, il parlait doucement à son épouse, pleurant même par moments, mais elle n'arrivait pas à le laisser s'approcher d'elle. Parfois, il se mettait lui aussi en colère.

Au bout d'une semaine, Don prit en charge les corvées domestiques. Il faisait le ménage, la cuisine, la lessive. Sans mot dire, il entourait son épouse de mille petites attentions. Katey avait beau ignorer son mari, Nelson sentait bien que sa résolution faiblissait. Peu à peu, l'odeur de la femme rousse se dissipa et le chien sentit un retour progressif à la normale.

Un mois après l'incident, Don retrouva sa place dans le lit conjugal. Tous deux ne se parlaient ni ne se touchaient guère. Katey dormait le dos tourné à son mari. Nelson sentait qu'ils étaient tous les deux éveillés. Et le silence régnait en maître.

Tous les jours, Katey emmenait Nelson en balade. Ils prenaient tout leur temps, s'attardant près d'un arbre ou un parterre de fleurs. Nelson reniflait les traces d'autres chiens avec grand intérêt. Mû par un désir croissant de comprendre l'univers, il tirait continuellement sur sa laisse. Parfois, sa maîtresse l'emmenait dans un parc voisin et le laissait gambader sur les vastes étendues d'herbe. Quand il s'éloignait trop, elle le rappelait et le chien revenait vers elle à toute allure, en faisant des bonds de cabri. L'animal rentrait de ces promenades à la fois épuisé et euphorique. Seule la tristesse latente de sa bien-aimée entamait son bonheur.

Un soir, Don s'approcha de sa femme et lui caressa prudemment le dos de la main. Nelson grogna, mais Katey serra l'animal contre elle pour l'apaiser. Elle ne réagit pas à l'initiative de son mari, mais n'arrêta pas non plus son geste. Don continua son tendre massage pendant une heure, jusqu'à ce qu'il entende la respiration profonde de sa femme. Ce soir-là, Nelson dormit en paix.

Les nuits suivantes, Katey et Don se remirent à faire l'amour. Une étreinte douce et paisible. Nelson ressentit leur plaisir, mais un plaisir sans commune mesure avec l'extase du jeune couple à son retour de lune de miel, il y a quelques années.

Un matin de juillet, Nelson se trouvait dans le jardin quand il entendit des éclats de voix dans la maison. Katey et Don criaient l'un après l'autre. L'oreille aux aguets, Nelson huma la colère qui flottait par la fenêtre de la cuisine. Il n'avait aucune idée du contenu de leur conversation, de la frustration de Don, qui reprochait à sa femme son manque de compassion. Il venait en effet de se voir refuser un poste à la dernière minute, pour lequel il nourrissait de grandes espérances. Nelson fut soulagé de les voir s'étreindre, avant que Katey ne franchisse la porte d'entrée, sa valise à la main, pour gagner le taxi qui l'attendait.

La soirée fut particulièrement morne. Don s'endormit devant la télévision, Nelson à ses pieds. Le lendemain matin, il était de méchante humeur. Nelson le regarda se doucher, se raser, puis s'habiller. Il lui sembla même que l'homme s'aspergeait de plus d'eau de Cologne que d'habitude. Nelson aboya après lui. Don se tourna vers le chien et perdit son sang-froid. Il l'envoya dans le jardin, où l'animal geignit faiblement. Un peu plus tard, Don lui apporta un petit bol de nourriture, mais le chien flairait la colère sur sa peau et se mit à japper frénétiquement. Quelque chose n'allait pas. Il dédaigna l'os que son maître lui jeta et continua d'aboyer à tout va. Don cria et jura après lui, mais une force irrépressible l'incitait à lui tenir tête.

Résigné, Don s'éloigna et claqua le portail derrière lui. Il courut jusqu'à sa voiture et mit la radio à plein tube. Puis il démarra et prit la route pour rejoindre sa petite amie.

Le portail était équipé d'un système de fermeture compliqué. Quand il était soigneusement refermé, un élément métallique s'enclenchait et le verrouillait automatiquement. Mais lorsque Don claqua le portail, le loquet ne s'enclencha pas correctement. Don vérifiait toujours le loquet avant de s'en aller, mais pas ce jour-là. Un peu plus tard, une brise légère l'entrouvrit de quelques centimètres supplémentaires.

Nelson était resté tranquillement étendu après le départ de Don, terriblement inquiet pour sa bien-aimée. Elle lui manquait. Les heures passant, il entreprit de renifler la moindre parcelle du jardin, comme à son accoutumée. Plusieurs fois par jour, il courait devant la maison pour s'assurer que personne ne rôdait autour. Vers midi, il patrouillait dans la cour de devant, guettant l'arrivée du facteur. Aujourd'hui, ses allées et venues avaient un but explicite. Katey était-elle dans les parages ? Allait-elle bientôt rentrer ?

Le jeune chien fut déconcerté en découvrant que le portail était ouvert. D'habitude, il ne le franchissait que pour ses promenades quotidiennes. Perplexe, il resta quelques minutes immobile, humant intensément l'air. Il renifla les effluves familiers des environs, ainsi que les fragrances de Katey et Don. Mais la brise lui rapportait aussi les odeurs ténues de la rivière lointaine qui traversait Albany. Nelson ne l'avait pas perçue depuis près d'un an. Il fixa le portail d'un regard incrédule et, l'espace d'une seconde fatidique, la curiosité du chien l'emporta. Il oublia tout de Katey, de Don, de son existence à Albany. Un besoin impérieux de découvrir ces senteurs distantes le taraudait. Un désir puissant, irrépressible, qui à cet instant précis, fut plus fort que ses sentiments pour son Grand Amour.

Nelson franchit le portail, décidé à explorer le monde.

9.

Le petit chien courut au beau milieu du boulevard. Les voitures lancées à pleine vitesse rugissaient autour de lui et klaxonnaient furieusement. Nelson pantelait, le cœur battant. Sur les trottoirs, des gamins du lycée se moquaient de lui. Plusieurs adultes le hélèrent au moment où la circulation s'apaisa, mais Nelson n'obéissait à personne d'autre qu'à Katey. Il inspira plusieurs grandes bouffées de l'air froid de l'après-midi, en quête de l'odeur de sa bien-aimée. Hélas, il n'en décela aucune trace.

L'après-midi avait débuté dans la plus grande euphorie, quand Nelson avait quitté la maison de Don et Katey et parcouru les routes en toute liberté, débarrassé de sa laisse. Quelle sensation étrange ! Lorsqu'il souhaitait suivre une piste spécifique ou étudier une senteur inconnue, qui l'entraînaient dans une toute autre direction, il n'avait plus besoin de tirer sur sa laisse, ni de quémander l'autorisation de sa maîtresse. Le cœur du jeune chien était en liesse. Pendant une heure, il ne pensa pas du tout à sa bien-aimée.

Fasciné par les effluves de l'univers, qui l'attiraient comme des aimants, Nelson n'avait pas conscience qu'il s'éloignait peu à peu de la douce et paisible banlieue verdoyante où se situait sa maison. À mesure qu'il progressait, les jardins se faisaient plus petits, les maisons étaient moins bien entretenues, et la pollution de l'air s'épaississait. Katey ne l'avait jamais emmené au-delà des rues calmes de leur quartier. Sur le boulevard à quatre voies qui s'enfonçait au cœur de la ville, les voitures circulaient à une vitesse folle, ce que Nelson n'avait jamais expérimenté. Des odeurs l'attiraient de l'autre côté du boulevard. Il devait à tout prix en découvrir la source. Malgré sa peur des voitures, il traverserait la rue au moment d'une accalmie et gagnerait l'autre versant sain et sauf. Du moins était-ce le plan initial. Nelson ne savait pas du tout comment il s'était retrouvé au beau milieu de la route, cerné de véhicules vrombissants. Les senteurs qui l'avaient attiré là se dissipaient déjà. Ne restaient plus que la puanteur des pots d'échappement et le vacarme insupportable de la circulation intense. Un moment, la tourmente s'apaisa. Nelson se figea au milieu de la chaussée, pantelant. Avant d'avoir eu le temps de réagir, il fut empoigné par un homme malodorant et affublé d'une longue barbe, qui l'emporta en courant jusqu'au trottoir. L'homme s'assit en maintenant fermement le chien, ce qui lui déplut fortement. Sans le quitter des yeux, le clochard s'adressa à lui d'un air bizarre. Ses cheveux longs et ses vêtements crasseux empestaient, tandis que son corps dégageait une odeur caustique, semblable à celle de la bière que Don buvait en regardant la télévision, mais en plus agressive. Nelson se démena pour se libérer de l'emprise de l'inconnu, sans succès. Non loin de là, un grabat informe dégageait des relents nauséabonds. Le clochard fouilla à l'intérieur et en retira un vieil os de poulet poisseux, cerné d'une nuée de mouches bourdonnantes, qu'il fourra sous le nez du chien. Écœuré, Nelson dédaigna le présent. Comme l'homme tentait de lui enfoncer l'os dans la gueule, il se mit à aboyer férocement. Le clochard vociféra, déclenchant l'hilarité de trois écoliers qui passaient par là. Une dispute s'engagea entre le clochard et les trois jeunes. Distrait, l'homme relâcha légèrement son étreinte et Nelson en profita pour se sauver en coulant sa tête hors du collier de cuir clouté que Katey lui avait acheté quelques semaines auparavant. Le sans-abri se retrouva seulement avec le collier et sa plaque argentée étincelante. Le lendemain, il vendit le tout pour un dollar.

Nelson courut à perdre haleine pour sauver sa vie. Une route familière l'attira dans la direction opposée. Quand la puanteur du clochard eut totalement disparu, le petit chien se recroquevilla dans l'ombre du feuillage d'un arbre et ferma les yeux, haletant. Où était Katey ?

Quand il se réveilla une heure plus tard, des effluves vaguement familiers chatouillèrent ses narines. Sa maison était toute proche, il en avait la certitude. Des odeurs de chiens lui parvenaient. L'herbe était similaire à celle de son jardin. Son nez fouilla l'air, filtrant les exhalaisons captivantes qui l'avaient attiré loin de chez lui il y a quelques heures.

Le petit chien arpenta lentement la rue, guidé par des odeurs qui semblaient lui indiquer le chemin de chez lui. Hélas, les effluves charriés par les vents changeaient constamment de direction, trompant son flair. Ils n'étaient pas fiables et Nelson ne savait pas lire les marqueurs visuels qui pouvaient le ramener sur le bon chemin. Il erra ainsi des heures durant. De temps à autre, des gens tentaient de l'approcher. Certains avaient l'air amical, mais il se méfiait des inconnus depuis sa rencontre avec l'homme nauséabond. Quand un humain faisait mine de l'approcher, le chien détalait en grondant.

La fatigue se fit bientôt sentir, puis la faim. C'était l'heure de son dîner. Environ huit heures s'étaient écoulées depuis son petit déjeuner. Son estomac vide commençait à le faire souffrir. Il avait la bouche sèche et haletait de façon incontrôlable. Son cœur se brisa quand il s'aperçut qu'il arpentait la même rue qu'une heure plus tôt. Pourtant, l'atmosphère lui était familière. Il ne devait pas se trouver loin de chez lui.

Pas une seule fois il n'avait respiré le parfum de Katey cet après-midi-là. Cela lui manquait cruellement. Chaque fois qu'il prenait une inspiration, son nez analysait le mélange complexe d'odeurs, en quête de la fragrance particulière de sa bien-aimée. Hélas, il n'en décela pas la moindre trace. Le soleil déclinait à l'horizon et les vents furieux secouaient les arbres autour de lui. Puis la nuit tomba.

Soudain, comme surgie de nulle part, sa voix perça les ténèbres. D'abord lointaine. Elle l'appelait. Au début, la voix était si distante qu'il crut que c'était seulement un effet de son imagination. Mais elle devint de plus en plus nette. Katey ! Impossible de se tromper. Même à distance, il percevait l'angoisse qui affleurait dans la voix de sa maîtresse. Comme il aurait voulu bondir dans ses bras ! L'embrasser, la réconforter, lui faire savoir que tout allait bien.

La voix se rapprochait de plus en plus. Nelson aboya de toutes ses forces. Il jeta des regards éperdus tout autour de lui pour la retrouver. Il prenait de grandes goulées d'air, le nez au vent, guettant désespérément son odeur. Elle se trouvait là, tout près, c'était certain. Rassemblant toute l'énergie dont il était encore capable, Nelson se mit à courir en direction de la voix. Katey criait son nom de plus en plus fort. Le chien aboyait à perdre haleine.

Puis le silence se fit. Nelson s'immobilisa, le cœur battant. Elle était là. À tout moment, elle allait surgir des ténèbres et ils rentreraient ensemble à la maison pour dîner. La voix l'appela de nouveau. Elle était si proche, si proche ! Un moment, sa fragrance emplit ses narines. Il inspira à pleins poumons, le cœur gonflé de joie. Puis il reprit sa course effrénée en direction de l'odeur tant aimée.

Inexplicablement, la voix s'amenuisa, puis se tut brusquement. Elle se dissipa dans l'air de la nuit en une fraction de seconde. Le parfum était parti, emporté par le bourdonnement ténu de la voiture qui s'évanouit dans la nuit.

Pris de panique, le petit chien aboya frénétiquement. Une femme apparut sur le pas de sa porte et cria pour le chasser. La queue entre les jambes, le malheureux animal déguerpit sans demander son reste.

Dans la nuit noire, Nelson se réfugia sous un arbre, le souffle court. Enveloppé par un vent glacial, il se sentit pour la première fois perdu.

10.

Quand Katey rentra chez elle cet après-midi-là et trouva le portail ouvert, elle fut prise de panique. Elle se précipita dans le jardin en priant d'y trouver Nelson. Mais le chien n'était nulle part en vue. Elle avait bien tenté d'appeler Don, mais était tombée sur sa messagerie et avait laissé un message cinglant. Katey fouilla le quartier à la recherche de son protégé, criant son nom, espérant le voir à tout moment courir vers elle, la queue frétillante, comme à son habitude. Aucun voisin n'avait vu l'animal. Un terrible sentiment de vide étreignit la jeune femme, à la pensée de ne pas savoir où était son petit protégé. Assurément, elle allait le retrouver. Des gens perdaient des chiens tous les jours, se disait-elle. Don avait dû négligemment laisser le portail ouvert, mais elle jugula la vague de colère qui grandissait en elle. Cela ne l'aiderait pas à trouver son petit chien.

Après une heure, elle rentra chez elle et vérifia une nouvelle fois le jardin, en vain. Décidée à élargir ses recherches au voisinage immédiat, elle s'engouffra dans sa voiture et démarra en trombe. Son téléphone sonna une fois, et comme il s'agissait d'un numéro inconnu, elle fut prise du fol espoir qu'un voisin l'appelait pour lui annoncer que Nelson était sain et sauf. Hélas, c'était une erreur. Son esprit lui souffla alors que Don ne l'avait toujours pas rappelée.

Les heures s'égrenaient implacablement. Le soleil disparut et un vent glacial souffla dans les ténèbres. Katey n'avait pas pris de pull et frissonnait. Mais son cerveau n'enregistra pas la sensation de froid. La jeune femme appelait Nelson sans relâche, parcourant plusieurs fois chaque rue avant de passer à la suivante.

Enfin, un peu après 21 heures, elle entendit distinctement un jappement dans la nuit, dont le volume augmentait de façon intermittente. Pas de doute, c'était lui ! C'était les aboiements qui l'accueillaient à son retour de voyage. Elle arrêta la voiture et cria le nom de Nelson en tentant de déterminer d'où venaient les aboiements. Il devait être tout proche. S'exhortant au calme, elle fouilla les rues sombres, roulant au pas, priant que Nelson surgisse d'une ruelle ou d'un jardin voisins. Elle l'entendait aboyer sans relâche, parfois tout proche, comme s'il percevait sa présence.

Mais les bruits et les odeurs emportés par les vents tourbillonnants étaient trompeurs. Juste au moment où les jappements cessèrent pour Katey, la voix de la jeune femme se tut pour le chien. Pendant plusieurs heures, elle persévéra néanmoins dans ses recherches, arpentant inlassablement les mêmes rues. Hélas, Nelson s'était endormi sous les feuilles d'un épais bouquet d'arbres et n'entendait plus les appels de sa bien-aimée. Finalement, à 4 heures du matin, Katey se résigna à rentrer chez elle. La maison était plongée dans le noir et son mari n'était pas là. Elle décida d'affronter cette réalité plus tard, quand elle aurait retrouvé son cher Nelson.

Quand elle s'affala, épuisée, sur le canapé du salon, elle se demanda si le chien avait mangé et bu quelque chose. S'il était dehors, il devait être frigorifié. Un moment, elle s'imagina avec effroi qu'il avait été renversé par une voiture. Elle reprendrait ses recherches à la première heure le lendemain matin.

II.

Errance

11.

Nelson eut un sommeil agité. Dans le froid de la nuit, il se réveilla plusieurs fois, pris de frissons. Les événements de la journée avaient épuisé le petit animal. Il avait marché, couru des heures durant, et été assailli de centaines de stimuli nouveaux.

Son Grand Amour hanta ses rêves. Il se lovait contre elle dans le lit. Il s'étendait sous le grand piano. Il jouait avec elle dans le jardin, où les fleurs s'étaient muées en saucisses et la pelouse était parsemée de dés de fromage. Au moment de son réveil, le lendemain matin, il était en train de rêver de Don. Couvert du parfum fétide de sa maîtresse, Don mordait Katey partout sur le corps. L'odeur du sang lui agressait les narines. Le chien bondit sur Don pour essayer de l'arrêter. C'était un rêve violent, intense, qui le tira brusquement de son sommeil, le cœur battant.

Nelson inspira l'air de la banlieue. Certaines émanations lui étaient toujours familières, mais la majorité ne lui évoquait rien. Partout autour de lui, il flairait des humains, des chiens, des écureuils inconnus. Katey n'était pas là. Il s'assit placidement quelques minutes en gémissant, mais personne ne vint. Au loin, un chien aboya. Nelson se tut.

La faim le tourmentait. Elle soulevait ses entrailles avec une puissance qu'il n'aurait jamais pu imaginer. Comme il n'avait pas mangé depuis une journée – jamais il n'avait été privé de nourriture aussi longtemps –, il avait l'impression d'être rongé de l'intérieur. Alors qu'il s'était réveillé avec le désir de retrouver Katey, il était à présent en proie à un besoin bien plus pressant : manger.

Nelson huma l'air. Normalement, son cerveau catégorisait et analysait les odeurs en fonction de facteurs divers, dont le principal était la curiosité. Aujourd'hui, son odorat se concentrait sur un seul objectif : trouver de la nourriture et satisfaire sa faim.

Le jeune chien avait bien des fois pourchassé des oiseaux et des écureuils pour s'amuser. Il ne savait pas que ces expériences ludiques correspondaient au comportement des jeunes loups, initiés par leurs parents à l'art de tuer pour se nourrir. Nelson n'avait jamais capturé le moindre oiseau ou écureuil, ni considéré sciemment ces animaux comme des sources de nourriture. Alors qu'il fouillait l'air en quête d'un repas, une petite hirondelle sautilla non loin de lui en pépiant. Sans réfléchir, le chien bondit sur l'oiseau. Mais personne ne lui avait appris les rudiments de la chasse, aucun aîné ne l'avait guidé dans cette voie, aussi ne connaissait-il pas les mouvements requis pour tuer avec succès un animal plus petit que lui. L'hirondelle s'échappa et disparut dans le ciel. Nelson la regarda s'envoler. Son odeur était similaire à celle des autres oiseaux, mais c'était la première fois qu'il l'assimilait à une chose comestible. Quelle étrange découverte pour le chien.

Un couple d'écureuil qui batifolait sur le trottoir herbeux tout proche fit naître une sensation similaire dans son cerveau. Les pattes avant bien campées sur le sol, l'arrière-train redressé, Nelson observa le ballet amoureux des écureuils avec une vigilance accrue. Lorsque les rongeurs cessèrent leur petit manège, Nelson se jeta sur eux, dans une tentative maladroite d'en plaquer un sur le sol. Le premier détala aussitôt. Le chien réussit à immobiliser le second d'une patte, mais le rongeur se tortilla avec une telle ardeur qu'il se libéra en quelques secondes. Tous deux disparurent dans un arbre, où ils reprirent instantanément leurs jeux amoureux. Ainsi, le chien n'eut pas le loisir de goûter la chair crue qui l'avait fait saliver pour la première fois. S'il avait passé toute sa vie auprès des humains, il n'aurait sans doute jamais considéré les animaux vivants comme du gibier, préférant ne pas avoir à développer ses talents de chasseur et se délecter du régime savoureux octroyé par ses maîtres.

Dans une maison voisine, un homme faisait frire des œufs et du bacon pour son petit déjeuner. Les arômes qui filtraient par la fenêtre de sa cuisine enivrèrent les sens de Nelson, qui s'assit docilement devant sa fenêtre, la langue pendante. Il gémit à fendre l'âme, incapable de maîtriser sa faim. Au bout d'un moment, l'homme entendit les geignements de l'animal et jeta un coup d'œil dehors. Mais Nelson prit peur et s'enfuit.

En parcourant lentement les rues inconnues, en quête de nourriture, il trouva plusieurs flaques d'eau sur le côté de la route, qu'il lapa avidement. Au bout de plusieurs heures de recherches infructueuses, il s'engagea dans une ruelle longeant l'arrière d'une rangée de maisons. Avant ce jour, les poubelles n'avaient jamais été associées dans son cerveau canin à des sources de nourriture. Mais parmi les odeurs dégagées par les conteneurs alignés dans l'allée, il discerna des indices d'aliments appétissants, lui rappelant les restes des dîners de Katey et Don. Des œufs durs, des morceaux de viande, et bien d'autres choses encore. Se précipitant vers les poubelles, il inspira goulûment. Il y avait de la nourriture dans ces boîtes de métal ! Son odorat le lui confirmait. Sa faim serait bientôt satisfaite, et il pourrait repartir à la recherche de sa bien-aimée.

Malheureusement, étant donné sa petite taille, Nelson était incapable d'atteindre le haut de la poubelle. Il essaya de renverser le couvercle, en vain, et finit par abandonner. Affamé, il bondit d'une poubelle à l'autre. Finalement, au bout de l'allée, il découvrit trois bacs débordants, ainsi qu'un grand sac noir plein à craquer. L'animal planta ses petits crocs dans le plastique du sac et le mit en pièces. Son petit déjeuner l'attendait. Il fourragea parmi les bouteilles vides, les emballages de bonbons et autres détritus. Enfin, il dénicha ce qu'il cherchait. Après avoir dévoré le poulet *kung pao* et le pain rassis, il mâchonna un morceau de fromage dur. Bientôt, il fut rassasié. Non loin de là se trouvait un vieux canapé cabossé, destiné à être ramassé par les collecteurs de monstres. Nelson sauta sur le canapé et s'endormit au soleil.

Le lendemain matin, un grand camion-poubelle progressa lentement dans l'allée pour vider les conteneurs dans ses entrailles. Effrayé par le vacarme du gros camion, Nelson se coula sous des buissons avant que l'engin n'atteigne le canapé où il avait passé la nuit. Les éboueurs jurèrent en constatant le bazar que l'animal avait semé. Progressivement, ils ramassèrent les détritus échappés du sac noir et les jetèrent dans la benne, puis ils vidèrent les autres poubelles.

La puanteur des ordures assaillit les narines de Nelson. Rempli de détritus jusqu'à la gueule, le camion dégageait une odeur pestilentielle. Le chien, qui s'était régalé la veille, reniflait d'autres repas dans la benne. Un moment, il faillit bondir dans le camion, mais les éboueurs l'effrayaient. Néanmoins, dans le cerveau du jeune chien, poubelle et nourriture étaient désormais synonymes.

Dans les semaines à venir, le chien guetterait constamment les relents des ordures. Après chaque repas, au moment où il glissait lentement dans le sommeil, il rêvait de Katey. Il humait l'air dans l'espoir de la sentir. Mais la quête de sa bien-aimée finissait toujours par être surpassée par son besoin vital de se nourrir. Parfois, il dénichait facilement à manger. D'autres fois, il passait toute une journée sans rien trouver à se mettre sous la dent.

De temps à autre, il dégotait des repas délicieux, par exemple les restes d'un dîner de la veille. Nelson savourait du poulet rôti, des morceaux de hamburgers ou de la pizza froide qui lui rappelait Don. Mais il arrivait que les poubelles ne contiennent pas grand-chose d'intéressant. À plusieurs reprises, Nelson fut sévèrement malade après avoir ingurgité certains aliments, notamment des denrées avariées. Le chien apprit à éviter le chocolat. Deux fois, il lécha une barre chocolatée, qu'il vomit une heure plus tard. Un jour, il termina une grappe de raisins à moitié entamée et eut de violents haut-le-cœur. Jamais plus il ne toucherait à un raisin, aussi alléchant soit-il.

En suivant la piste des poubelles, Nelson parcourait des kilomètres et des kilomètres chaque jour. Bientôt, il ne distingua plus aucune odeur familière, plus aucune trace de sa maison. Son foyer n'existait plus que dans ses rêves, la nuit. Il dormait sous les arbres ou dans les buissons, parfois sur un vieux coussin ou un vieux vêtement abandonné. Il se roulait en boule dans les plis du tissu pour tenter de se réchauffer et imaginait que le corps tiède près de lui était celui de sa bien-aimée.

Depuis son expérience sur le boulevard, il avait appris à éviter les voitures et à emprunter de préférence les trottoirs, les allées et les ruelles déserts. Dix jours après son départ de la maison, Nelson se retrouva à l'autre bout d'Albany, dans une banlieue décrépie, à l'atmosphère chargée de peur et d'agressivité. Les remugles des camions poubelles qui imprégnaient l'atmosphère étaient de plus en plus concentrés. Peu à peu, le chien comprit qu'il se rapprochait d'un endroit où se trouvaient des montagnes d'ordures, une source inépuisable de nourriture. Nelson se précipita dans cette direction. Le petit chien aux grands yeux et au cœur noble avait passé des heures et des heures à chercher cet endroit. Bientôt, il se trouva devant l'entrée de la décharge municipale. Mais ce lieu dépassait totalement l'imagination. Des kilomètres de détritus s'étendaient devant lui, à perte de vue. La pestilence était intolérable, mais Nelson discernait parmi les déchets des arômes de mets comestibles. Son cœur battait à tout rompre.

D'un côté de la décharge, d'énormes groupes électrogènes traitaient les détritus, les transformant en un matériau que des camions transporteraient par la suite hors de la décharge. Ils bourdonnaient sans relâche. Nelson passa sa première nuit à la décharge près des machines, qui dégageaient une douce chaleur. Son sommeil fut paisible, grâce à la tiédeur qui réchauffait ses os.

En deux semaines, Nelson avait parcouru cinquante kilomètres. Il n'avait pas idée que de nombreux chiens, surtout les plus gros, dont les besoins en nourriture étaient importants, mouraient en deux ou trois jours seulement, victimes de la soif ou de la faim. Non, le petit chien n'en savait rien. Lui voulait désespérément retrouver son Grand Amour, et d'ici là, trouver de quoi manger.

12.

À la décharge, Nelson s'installa bientôt dans une routine. Chez Katey et Don, il aimait avoir ses petites habitudes. Son cerveau semblait programmé ainsi, quelles que soient les circonstances. Cela lui donnait en quelque sorte le sentiment de faire partie d'une famille, même s'il était seul.

Rapidement, il prit l'habitude de chercher ses repas parmi les ordures tôt le matin ou en début de soirée. La journée, des employés s'affairaient parmi les monticules de déchets et des camions allaient et venaient pour déverser leur contenu. Plusieurs fois, un travailleur agressif chassa Nelson à l'aide d'un râteau et le chien lui échappa de justesse. Après ces incidents, il apprit à se montrer prudent et à éviter tout contact avec les humains.

La faim ne le tiraillait plus, mais il devait être sur ses gardes quand il fouillait les monticules de détritus. Il lui arriva de se couper avec un vieux rasoir. Une fois, il posa la patte sur une seringue dissimulée sous un tas de pelures de carottes. Sa patte le fit souffrir plusieurs jours et son sommeil fut perturbé. Il lécha sa plaie pour tenter de chasser la douleur. Peu à peu, le mal se dissipa.

Plusieurs autres chiens vivaient dans la décharge. La première fois que Nelson se retrouva nez à nez avec l'un de ses semblables, il l'invita à jouer avec lui, espérant se faire un nouvel ami. Mais tous sans exception se mirent à grogner, l'avertissant de garder ses distances. Dans l'air planaient des relents de terreur et d'agressivité. Nelson ne connaissait pas l'exhalaison de la mort et de la maladie, mais les odeurs dégagées par les corps de ces chiens étaient fort désagréables et lui inspiraient une grande méfiance.

Des rats grouillaient aussi un peu partout. Ils se pressaient autour de lui, à la recherche de nourriture. Le petit chien détestait ces créatures à l'odeur humide, qui dans son esprit ne ressemblaient en rien à son jouet en plastique favori. Plusieurs fois, les rongeurs voulurent le mordre et il les chassa méchamment.

La nuit, Nelson dormait près des compacteurs. À l'ombre de ces machines chaudes, il se sentait en sécurité. D'autres chiens s'étaient installés non loin de là, mais ils le laissaient tranquille. Tous les matins, au réveil, Nelson était submergé de tristesse quand il se rendait compte qu'il ne se trouvait pas dans le lit chaud de Katey, prêt à gambader dans le jardin verdoyant. Autour de lui ne poussaient que des plantes rabougries, des buissons chétifs et gris et quelques arbres décharnés. Nelson les reniflait régulièrement, nostalgique de la nature. Il y avait peu d'odeurs agréables dans son nouvel environnement. L'atmosphère était chargée de gaz d'échappement et de fumées nauséabondes, provenant des usines de la zone industrielle toute proche. Les jours de vent, le jeune chien captait les effluves de la rivière, des forêts ou des montagnes au loin. Ces senteurs le revigoraient et lui redonnaient de l'énergie. Ses rêves étaient alors emplis de joie. Mais ces moments étaient rares.

La journée, Nelson s'efforçait d'éviter les ennuis. Cela signifiait rester à l'écart des camions-poubelles comme des éboueurs. Des humains vivaient dans les parages, mais ils dégageaient la même odeur que le clochard qui l'avait sauvé des voitures et lui avait volé son collier. De leurs pores suintaient l'alcool ainsi que d'autres substances étranges. Nelson décelait une grande morosité et une profonde solitude chez ces sans-abris et il était parfois tenté de les réconforter. Mais, en quelques semaines d'errance, il avait appris à se protéger du danger et à éviter les êtres humains. Aucun des hommes de la décharge n'avait le doux parfum accueillant de Mme Anderson, Vernon, le vétérinaire ou son Grand Amour.

Parfois, quand le jeune chien avait mangé à sa faim, il vagabondait dans la décharge, mû simplement par la curiosité. Les déchets des humains en disaient long sur eux. Le petit chien pouvait passer des heures à se repaître de l'arôme de vieux vêtements ou de serviettes mitées. L'odeur des hommes était si complexe qu'il brûlait de les comprendre. Il dénichait de temps à autre une poupée désarticulée ou un animal en peluche, qu'il rapportait dans son repaire pour la nuit. Là, il s'amusait seul, secouant et malmenant ses jouets en imaginant Katey à son côté. Un jour, comme un grand chien féroce grondait après lui, Nelson abandonna le rat en plastique cassé qu'il avait trouvé et se sauva sans demander son reste. L'autre récupéra le jouet et le mâchonna avec ardeur. L'instinct de Nelson lui soufflait de toujours accéder aux désirs des gros chiens. Le lendemain, il se dégoterait un autre jouet.

Un soir, Nelson remarqua un nouveau chien endormi non loin de son repaire. Son odeur était puissante et agressive. Nelson ne dormit que d'un œil, pas seulement à cause de la peur, mais des jappements puissants du nouveau venu, qui aboya pratiquement toute la nuit. À l'aube, Nelson se réveilla groggy, fatigué et irritable. S'aventurant d'un pas traînant dans la décharge, il tomba sur un rat mort. Écartant la bestiole puante de son chemin, il partit en quête de son petit déjeuner.

Cette nuit-là, les jappements musclés du gros chien reprirent de plus belle. Mais cette fois, au bout d'une heure de ce boucan infernal, un homme rondouillard sortit de l'un des bâtiments attenants aux compacteurs. Nelson avait déjà senti la présence de ces employés de nuit qui entraient et sortaient du bâtiment. Mais c'était la première fois qu'il en voyait un de si près. L'homme corpulent se mit à crier après l'animal infernal en agitant un journal, une lampe de poche à la main. Nelson l'observa en train de hurler après l'immense bête noire, qui grondait sauvagement. Quand l'homme lui asséna un violent coup de journal sur le museau, le grand chien gémit et disparut dans les ténèbres. Puis l'homme retourna dans le bâtiment.

La nuit suivante, le grand chien noir reprit ses aboiements implacables. L'homme gras apparut de nouveau, cette fois avec l'un de ses acolytes. Tous deux s'avancèrent vers Nelson, qui était épuisé après deux nuits sans sommeil, mais c'était après l'autre chien qu'ils en avaient. À leur approche, la bête immense grogna et aboya méchamment. Cette fois, quand l'homme le frappa avec son journal, le chien, au lieu de reculer, bondit vers son assaillant pour le mordre. L'odeur du sang frais flottait dans l'atmosphère. Nelson ne pouvait identifier l'objet argenté qui était sorti de la poche de son acolyte, mais il frissonna quand les coups de feu déchirèrent l'air et que l'explosion résonna autour de lui. Le grand chien décampa pour sauver sa vie. Terrorisé, Nelson se figea, incapable de faire un mouvement. L'homme corpulent blessé se tordait de douleur pendant que son compagnon balayait les alentours à l'aide de sa lampe de poche. Trois ou quatre chiens furent pris dans le faisceau lumineux et plusieurs autres détonations retentirent. Le feulement strident d'un chien déchira la nuit quand une balle le frappa de plein fouet et qu'il s'écroula sur le sol, sans vie.

Nelson courut à perdre haleine dans les rues sombres. Il entendit deux nouveaux coups de feu dans le lointain. Près de lui, d'autres chiens fuyaient aussi la décharge en glapissant. Sous l'effet de l'adrénaline, Nelson détalait dans la nuit.

Le petit chien aux yeux écarquillés progressait lentement sur les pavés craquelés, incertain de la direction à suivre. Le paysage de béton désolé était éclairé çà et là par un réverbère. Il flaira quelques senteurs agréables. Des clochards se recroquevillaient sous leur couverture de carton, reniflant, sanglotant ou grommelant quelques mots inaudibles. Il flairait la drogue tout autour de lui. Les odeurs des rats, de la fumée et des ordures dominaient l'atmosphère.

À quelques rues de là, Nelson décela un délicieux fumet de viande et d'oignons grillés. Il n'avait pas faim, mais c'était la seule chose qui lui évoquait un sentiment de sécurité dans son errance nocturne. Il ralentit sa course et se mit à marcher en direction des arômes de grillades. En s'approchant, il vit une trentaine de poids lourds garés sur un immense parking. Des marchandises, prêtes pour le transport, embaumaient l'air – des légumes frais, des vêtements neufs, de la viande crue. Elles étaient emballées dans de grandes caisses de bois et des sacs plastiques. Bien loin des remugles de poubelles, ces denrées étaient destinées à la consommation humaine, bien avant que les déchets ne soient jetés et éparpillés dans une décharge quelconque.

Le petit restaurant de l'aire d'autoroute était ouvert tard dans la nuit, et ce pour une raison évidente. Même à 2 heures du matin, de nombreux chauffeurs routiers faisaient halte à cet endroit, après leur long voyage en provenance de l'ouest, pour déguster un petit quelque chose après une soirée bien arrosée, avant de reprendre la route le lendemain avec leur nouveau chargement.

Thatcher Stevens quitta le restaurant avec à la main un petit sachet de papier brun contenant un hamburger aux œufs et au fromage. Il venait juste d'en manger un. Les hamburgers étaient particulièrement savoureux dans cette petite cantine, et il se faisait un devoir d'en manger au moins un chaque fois qu'il venait à Albany. Le second ferait un bon petit déjeuner pour le lendemain, une fois réchauffé dans le petit four à micro-ondes encastré au fond de sa cabine.

Le routier regagnait son camion quand il vit le petit cabot tremblant sous les énormes roues d'un autre poids lourd. Thatcher avait toujours aimé la compagnie des chiens, d'autant que dans son enfance, il jouait souvent le week-end avec les trois labradors noirs de sa grand-mère. Il n'en avait jamais possédé, mais l'idée lui traversait parfois l'esprit. Une idée vite oubliée, étant donné qu'il n'avait pas de foyer stable, en dehors de la petite maison que ses parents lui avaient laissée dans le nord de l'État de New York, et où il ne passait que trois ou quatre semaines par an.

Thatcher siffla le petit chien, qui se recroquevilla dans l'ombre. Haussant les épaules, il regagna son camion et grimpa dans la cabine. Là, il s'allongea sur le matelas fin où il passait la majorité de ses nuits. Son petit téléviseur rediffusait de vieilles séries policières, qui ne manqueraient pas de l'endormir rapidement.

Pour une raison qu'il n'aurait su expliquer, Thatcher ne s'endormit pas ce soir-là comme d'habitude. Le petit chien ne quittait pas ses pensées. Quelque chose dans ses yeux, et même dans son regard, l'intriguait. Finalement, il sauta au bas du camion avec une lampe de poche et partit en quête du cabot.

Nelson n'avait pas bougé depuis une heure. Les effluves du restaurant le réconfortaient, et même s'il n'avait pas faim, il ne voulait pas s'en éloigner. Assis là tranquillement, il se sentait apaisé. Lorsque le grand homme à la queue de cheval et au bouc revint pour lui faire signe, son instinct lui souffla de s'éloigner. Aucun humain rencontré ces dernières semaines ne l'avait bien accueilli.

C'est alors que l'homme se mit à chanter à son intention, la main tendue vers lui. Sa voix chaude et râpeuse flottait dans l'air nocturne et l'apaisait, exactement comme les airs de piano de Katey autrefois. Sa voix n'était empreinte d'aucune colère, frustration ou folie, comme certaines des voix humaines rencontrées le mois passé. Quand l'homme fit un pas vers le chien, Nelson s'avança et renifla sa main. Elle dégageait une odeur chaude, puissante, semblable à celle de Vernon. Nelson la lécha et apprécia son goût de sueur salée. L'homme le flatta et lui sourit, tout en continuant à chanter. Voilà des semaines qu'il n'avait pas eu de réel contact avec un être humain et il avait oublié combien cette sensation pouvait être douce et naturelle.

Thatcher adorait écouter de vieux tubes de Willie Nelson le soir pour se détendre et ne voyait pas pourquoi ces mélodies n'auraient pas le même effet apaisant sur le petit animal. Au bout de quelques minutes, le routier voulut saisir le chien et l'emmener dans son camion. Mais Nelson se cabra et se mit à grogner. L'homme marqua une pause, puis se remit à chanter un air. Prudemment, le chien lui lécha de nouveau la main. Alors Thatcher se leva lentement et retourna à pas mesurés vers son camion, sans quitter l'animal des yeux. Le chien le suivit avec méfiance. Parvenu à la cabine, Thatcher grimpa sur le siège et prit le sachet contenant le hamburger encore tiède qu'il se réservait pour le lendemain. Il en prit un morceau et remit pied à terre. À quelques mètres de là, le chien patientait. Thatcher lui fit signe d'approcher en l'appâtant avec un morceau de nourriture. Le hamburger sentait bon. Les aliments frais étaient si différents des restes qu'il consommait dans la décharge. Même s'il n'avait pas très faim, il s'avança et engloutit le morceau. Cette fois, quand Thatcher voulut le prendre dans ses bras, il se laissa faire. Une fois dans la cabine, Nelson dévora le reste du hamburger, pendant que Thatcher le caressait, riant de plaisir. L'odeur forte du chien gênait un peu le routier, mais il se sentait trop fatigué pour nettoyer l'animal à cette heure tardive. Il ouvrit la vitre de la portière en grand, de sorte que Nelson pouvait aisément s'enfuir, s'il le souhaitait. Mais lorsque Thatcher s'endormit et ronfla bruyamment, Nelson se roula en boule à ses pieds et s'assoupit à son tour. La cabine était chauffée et l'atmosphère agréable, en dehors de quelques relents de cigare froid. Cette ambiance chaleureuse lui rappelait vaguement son foyer avec Katey, aussi décida-t-il de rester et s'endormit-il profondément.

Le lendemain matin, à son réveil, le camion ronronnait à travers la campagne. Au début, Nelson fut déconcerté par le bourdonnement rauque du poids lourd qui fusait sur l'asphalte. Quand l'engin ralentit et prit un virage serré, le petit chien glissa sur le siège arrière. Mais les vitres étaient ouvertes et l'odeur de l'herbe envahit le cœur de Nelson. Sur le siège du conducteur, Thatcher chantait gaiement, au rythme d'un air de country qui passait à la radio. Le corps de Nelson se détendit et il commença à remuer la queue en cadence. Bientôt, il l'agitait avec une frénésie incontrôlable.

Écoutez *Journeys with Thatcher* :
www.youtube.com/watch?v=JdHglc-AEs.

13.

Thatcher Stevens était un homme solitaire, même s'il n'en avait pas particulièrement conscience. Il considérait sa vie comme agréable. Il n'avait ni femme ni enfant à sa charge. Son argent n'appartenait qu'à lui et il le dépensait comme il l'entendait. Son métier lui plaisait. Il explorait sans cesse de nouveaux espaces et contemplait les merveilles de la nature américaine. Bien des gens rêvaient de voyager comme lui. Durant son enfance, il avait été témoin de maintes querelles entre ses parents. Sa mère rêvait de voyager, alors que son père était casanier. Ce n'était pas la raison principale de l'échec de leur mariage, mais cela y avait contribué. Lorsqu'il avait embrassé la carrière de routier, douze ans plus tôt, il avait rapidement compris ce qui avait manqué à sa mère. Parcourir le monde était une bouffée d'adrénaline. Quelle chance de pouvoir rencontrer des populations différentes, admirer des paysages étrangers, goûter des cuisines nouvelles !

Ainsi, il n'avait guère de motif de plainte. Sa vie comptait bien des moments heureux. Quand il prenait la route avec un nouveau chargement, vers une destination inconnue, il mettait la radio à pleins tubes et chantait à tue-tête. C'était son alter ego, se disait-il. Enfant, il voulait devenir chanteur, et si son rêve ne s'était pas réalisé, il était tout de même persuadé d'avoir un certain talent. Dans ces moments-là, quand la route s'étirait devant lui à perte de vue, il ressentait une incroyable excitation à l'idée de l'aventure qui l'attendait. Ce sentiment l'habitait plusieurs semaines, alors qu'il traversait les immenses chaînes de montagnes de l'Amérique, avec ses forêts, ses rivières et ses lacs.

Parfois, lors d'un trajet extrêmement long et somme toute ennuyeux, la solitude logée au plus profond de son cœur refaisait surface. Les terres américaines étaient majoritairement planes, et étant donné l'évolution du monde actuel, les États se ressemblaient de plus en plus, avec leurs chaînes de magasins, leurs immenses centres commerciaux et leurs lotissements uniformes. Sur cette route qui semblait ne mener nulle part, un profond sentiment de vacuité s'insinuait en lui. La tristesse qui l'affligeait était ténue, car ce n'était pas un homme d'extrêmes, sauf quand il avait trop bu ou consommé des substances illicites.

Un désarroi similaire s'emparait de Thatcher lorsque son périple touchait à sa fin et qu'il regagnait sa petite maison de Sullivan County, dans le nord de l'État de New York. C'était une magnifique région, même si le routier passait le plus clair de son temps à l'intérieur. Il n'avait jamais changé le vieux mobilier ni les draperies mornes de ses parents, qui eux-mêmes les possédaient depuis de nombreuses années. Thatcher restait allongé sur son lit, à regarder la télévision en buvant des bières et en mangeant des plats surgelés réchauffés au four à micro-ondes. Chaque fois qu'il se retrouvait face aux murs nus et tristes, il se promettait d'emporter son appareil photo la fois prochaine et de prendre des clichés des paysages. Mais il ne le faisait jamais. Il devait aussi réparer le robinet, peut-être acheter quelques draps colorés, autant de projets qui s'ajoutaient à la liste des choses à faire et ne deviendraient jamais réalité. La veille de son départ pour un nouveau périple, il éprouvait un grand soulagement. Le lendemain, sur la route, le ronronnement du moteur de son camion et les flashes des paysages qui défilaient comblaient sa journée, et masquaient la solitude de son existence.

Thatcher était un homme séduisant. Son alimentation de routier l'avait rendu un peu rondouillard pour ses trente-huit ans, mais sa large stature dissimulait son léger embonpoint. Ses cheveux blond cendré étaient retenus en queue-de-cheval et un bouc agrémentait son visage amical, éclairé d'un regard bleu perçant. Au cours de ses pérégrinations, il avait plusieurs fois rencontré des femmes qu'il aimait tendrement. Mais rapidement, il avait appris qu'il était proprement impossible d'entretenir une relation durable quand on avait l'âme voyageuse comme lui. Sa première idylle, avec une jeune femme du nom d'Ivy, n'avait duré que huit mois, même si en réalité ils n'avaient passé que seize jours ensemble durant cette période. La jeune femme était sans doute amoureuse de Thatcher, mais elle avait fini par le quitter pour un homme qui habitait et travaillait dans sa ville natale du Wisconsin.

D'autres amourettes s'étaient transformées en relations plus ou moins durables. Dans son petit répertoire téléphonique, Thatcher avait les numéros d'une quinzaine de femmes à travers le pays, qu'il contactait quand il était de passage en ville. Les amants allaient dîner dans un restaurant local, où ils mangeaient la spécialité du coin, puis faisaient l'amour dans la maison de la femme, ou dans un motel, ou le plus souvent dans la cabine du camion du routier. Pour une raison inconnue, les femmes aimaient faire l'amour dans son camion. Cela les émoustillait. Thatcher aussi appréciait ces ébats. Quand il dormait chez l'une de ses conquêtes, il avait le plus grand mal à quitter le lit douillet d'une maison chaude, tard dans la nuit, surtout quand il gelait dehors.

Thatcher parlait de s'installer quelque part un jour prochain, mais les années passant, il se rendait compte que cela avait de moins en moins de chances de se réaliser. Il devrait travailler jusqu'à soixante-cinq ans et n'avait aucune idée de quel autre métier il pourrait exercer. Aucune femme n'épouserait un homme qui passait le plus clair de son temps en vadrouille, loin de son foyer. Ainsi, il se contentait de quelques heures d'intimité par mois avec son béguin du moment, ou de rencontres d'un soir.

Quand Nelson se réveilla en cette matinée estivale, au chant de Thatcher, il oublia aussitôt

Albany et Katey. Après s'être enivré des senteurs d'herbe qui filtraient par la vitre, il renifla l'espace confiné de la cabine où il venait de passer la nuit. La banquette dégageait une odeur de vieux cuir élimé et les couvertures n'avaient pas été lavées depuis des lustres. L'odeur du routier était partout. Des effluves de tabac frais s'échappaient d'une boîte de cigares cubains planquée sous le siège et de vagues relents de tabac froid imprégnaient les couvertures et le tissu de la banquette qui affleurait à travers les craquelures du cuir.

Nelson inspira une bouffée du hamburger de la veille, ainsi qu'un mélange de cookies au chocolat et de Pringles. La fragrance du linge propre que le routier avait lavé dans une laverie automatique quelques jours plus tôt lui rappelait sa maison. Cela lui donnait envie de rester avec Thatcher, comme si l'homme pouvait le ramener auprès de sa bien-aimée. Plusieurs flacons d'eau de Cologne bon marché étaient stockés dans la cabine, avec des pains de savon et des bouteilles de shampoing. Autant d'odeurs rassurantes, que le jeune chien associait à son foyer.

Devant lui, Thatcher battait la mesure sur le volant tout en chantant à tue-tête au rythme de la musique country. Le bonheur flottait dans l'atmosphère, ce qui réjouissait le jeune animal. Nelson bondit sur le siège avant, près de son nouvel ami. Thatcher parut heureux de le voir et le caressa tout en conduisant. Ravi, Nelson lui lécha les doigts et agita la queue sans le quitter des yeux.

Le paysage défilait à toute allure par la vitre du camion. Malgré la vitesse, des effluves d'arbres et de plantes inconnues piquèrent la curiosité du chien. Après les remugles d'ordures et de fumées industrielles qui faisaient son lot quotidien depuis un mois, l'animal avait la sensation que tout son être était vivifié, purifié par ce déluge naturel. La peur des nuits précédentes s'évanouit rapidement et le jeune chien se sentit de nouveau vivant.

Quelques heures plus tard, ils firent halte dans une station-service. Thatcher souleva le chien, qui cette fois se laissa prendre sans résistance. L'homme s'empara également d'une barre de savon et d'une serviette et bientôt, Nelson se retrouva sous la douche extérieure située non loin de là. Thatcher le frotta vigoureusement. Le traitement, plus rude que ses séances de nettoyage avec Katey, était malgré tout agréable. Une fois le chien toiletté, Thatcher prit une douche à son tour, pendant que l'animal patientait à ses pieds. Puis l'homme se sécha avec une serviette, avant de frictionner Nelson. Katey utilisait un séchoir électrique, et non une simple serviette, mais l'animal préférait la sensation de fraîcheur du tissu. Après quoi il s'ébroua, comme à son habitude, et remua sa queue touffue sous le nez de son nouvel ami, qui éclata de rire.

Thatcher ne tenait jamais Nelson en laisse. Il le prenait dans ses bras ou le laissait le suivre à sa guise. Néanmoins, il gardait un œil attentif sur lui et le sifflait ou l'appelait dès qu'il faisait mine de s'éloigner. Le routier reconnaissait chez le jeune chien cette même insatiable curiosité qui définissait son caractère. La curiosité était une chose formidable dans l'existence, mais elle pouvait aussi s'avérer dangereuse.

Après leur douche, il était temps de déjeuner. La règlementation des restaurants d'autoroute interdisait les chiens dans leurs murs. Mais Thatcher était apprécié de la majorité des établissements qu'il fréquentait, même si les serveuses qui l'appelaient par son prénom ne le voyaient qu'une ou deux fois par an. L'étincelle de son regard marquait les esprits. Ainsi, les serveuses ne firent pas de difficulté pour laisser le petit chien entrer. Nelson s'assit sagement sur la banquette près de son compagnon, pendant que ce dernier étudiait le menu. Thatcher glissa discrètement à l'animal des morceaux de steak et de frites, ainsi qu'un morceau de la tarte aux pommes nappée de crème qu'il commanda en dessert, stimulant les papilles du chien. Pendant son séjour avec Thatcher, Nelson s'habitua progressivement à l'alimentation humaine, si bien qu'il finit par ne plus considérer la nourriture canine comme une alternative acceptable. Son système digestif s'était adapté aux restes de repas. Désormais, il éviterait les aliments pour chiens. Il trouvait en effet normal de partager tous les repas de son nouveau protecteur.

Durant leur plongée au cœur des États-Unis, Thatcher louait parfois une chambre de motel pour la nuit. Nelson s'était habitué aux remugles de ces lieux, toujours les mêmes, quel que soit le patelin où ils faisaient halte. Une odeur entêtante de tabac froid et de Javel, émanant des serviettes et des draps. Dans les motels les plus décatis, les tapis sentaient le moisi. Parfois, Nelson entendait des bruits étranges, pendant que Thatcher dormait, et se faisait un devoir de protéger son compagnon, prêt à grogner et aboyer si un résident du motel venait à le menacer. Thatcher, qui avait le sommeil lourd et ronflait bruyamment, était rarement réveillé par les ébats bruyants des couples dans la chambre contiguë ou par les invectives grossières de types ivres. Le matin, Nelson léchait le visage de son comparse pour le réveiller, et Thatcher se traînait péniblement hors du lit en caleçon pour ouvrir la porte au chien et le laisser uriner. Telle était la récompense de Nelson pour son travail bien fait.

De temps à autre, Thatcher laissait le petit chien quelques heures seul dans la chambre d'hôtel. La première fois qu'il se retrouva dans cette situation, Nelson prit peur. Mais il apprit vite à surmonter sa frayeur et au lieu de se terrer dans un coin, il se campait fièrement près du lit, attendant le retour de Thatcher en gardant leur maison temporaire. Une fois, une femme de ménage voulut pénétrer dans la chambre, mais détourna les talons aussi sec quand le chien se mit à aboyer férocement, lui barrant l'accès de leur domaine. Ce type d'incidents renforçait sa conviction qu'il était puissant et costaud, malgré sa petite taille.

Parfois, le routier revenait avec l'haleine chargée d'alcool. Cela rendait le chien nerveux, au souvenir du clochard qui lui avait dérobé son collier. Mais dans ces moments-là, Thatcher s'effondrait aussitôt sur le lit et sombrait dans un profond sommeil, ronflant même encore plus fort que d'habitude. Une fois, le routier s'endormit après une brève étreinte avec une femme ramassée dans un bar. Profitant de son sommeil, l'inconnue fouilla discrètement les poches de son jean pour lui piquer son argent. Mais Nelson veillait et se mit à aboyer. Se réveillant en sursaut, Thatcher prit la fille la main dans le sac et comprit que Nelson venait de sauver les quelques centaines de dollars que contenait son portefeuille. La femme déguerpit sans demander son reste et le routier récompensa le fidèle chien en lui offrant la tranche de bacon de son petit déjeuner.

Généralement, Thatcher dormait dans son camion. Nelson apprit à apprécier cet endroit. En fait, il préférait aux chambres de motel cet espace exigu et confiné, qu'il avait l'impression de pouvoir mieux défendre. Cela lui conférait un sentiment de sécurité. Au début, le chien dormait aux pieds de Thatcher, mais par une nuit froide, il se pelotonna contre la poitrine de son compagnon et dormit comme un bébé, malgré les ronflements sonores du routier. Cela devint sa position préférée. Thatcher se réveillait parfois la nuit et trouvait le petit animal assoupi contre lui, lui arrachant un sourire.

Thatcher laissait aussi parfois Nelson seul quelques heures dans la cabine du camion. Il entrouvrait alors la vitre de la portière, de sorte que l'air du dehors distrayait l'animal en son absence. Nelson s'habitua à le voir revenir avec des femmes, avec qui il faisait l'amour maladroitement dans l'espace étroit du camion. La cabine était agitée de soubresauts, tant Thatcher était un amant fougueux et passionné. Chaque fois que le chien trouvait un coin tranquille pour se reposer, il en était délogé par les corps trempés de sueur qui roulaient sur lui. Quand Thatcher et sa conquête le dérangeaient, il se mettait à japper, déclenchant l'hilarité du couple, qui poursuivait ses ébats sans lui prêter attention. Après quoi, les femmes tentaient généralement de se faire pardonner en jouant avec lui. Il appréciait leur sollicitude, tout comme les friandises qu'elles sortaient occasionnellement de leur sac à main.

Durant leur épopée, Thatcher et Nelson traversèrent au moins dix fois les États-Unis. Ils partaient de l'est sur l'autoroute 20, passaient au large de Chicago, traversaient les immenses plaines de l'Iowa, puis les montagnes du Montana, avant de livrer leur chargement dans l'Oregon. Depuis Seattle, ils reprenaient l'autoroute 2 et retraversaient l'Amérique en longeant la frontière canadienne, à travers le Montana, les Grandes Plaines, où Nelson apprit à reconnaître l'odeur unique des buffles, puis s'enfonçaient dans les forêts du Minnesota, avec sa faune et sa flore luxuriante. L'autoroute 50 les entraînait dans l'État du Mississipi, puis grimpait les Rocheuses, où planait l'odeur des aigles, des faucons et des habitats ancestraux des Indiens. Dans la Sierra Nevada, les effluves du désert titillaient l'odorat du jeune chien. Puis ils atteignaient la pointe sud des États-Unis, tout près de la frontière mexicaine, où Nelson flairait le pétrole et le bétail du Texas. Après s'être délectés des arômes cajuns des deltas du Mississippi, ils arpentaient l'arête des Appalaches, puis s'arrêtaient enfin dans le comté de Sullivan, pour passer le week-end dans la maison des parents de Thatcher. Nelson était impatient d'explorer les forêts et les rivières des environs, mais Thatcher préférait rester à l'intérieur. La curiosité du jeune chien n'était pas étanchée par les découvertes olfactives pourtant infinies de leurs périples. Chaque fois qu'un État lui livrait les secrets de son histoire, il voulait en savoir plus. À Albany, il s'était imaginé que le monde était un endroit fascinant, et à présent qu'il en avait la confirmation, son désir d'en explorer les moindres recoins n'en était que plus impérieux. Seul le souvenir de son Grand Amour était plus puissant, car rien dans son esprit ne pourrait jamais le remplacer. La nuit, il rêvait souvent des magnifiques tubéreuses blanches qui lui rappelaient la fragrance de Katey.

Un soir, en Caroline du Nord, un État que Thatcher adorait pour sa combinaison unique de côtes splendides et de montagnes majestueuses, une femme lui rendit visite. Il ne l'avait pas vue depuis plus d'un an et était impatient de la retrouver. Leurs relations sexuelles étaient toujours réussies. Surtout, il était intrigué par ses étranges allusions – elle voulait apparemment lui dire quelque chose, mais quand il l'avait interrogée, elle s'était dérobée, remettant la discussion à plus tard. Perplexe, Thatcher espérait sans doute secrètement qu'elle souhaite entamer une relation sérieuse avec lui, même s'il en imaginait difficilement les conséquences sur son existence actuelle. Ce jour-là, il se rasa avec un soin tout particulier et s'aspergea d'un parfum coûteux, qu'il réservait aux grandes occasions. En le voyant s'apprêter ainsi, Nelson comprit qu'une intéressante soirée les attendait.

La femme frappa à la porte à 18 heures. Nelson aboya, puis monta la garde près de l'entrée. Allongé sur son lit, devant l'émission « Animal Planet », Thatcher bondit sur ses pieds et vérifia une dernière fois sa coiffure. Puis il intima à Nelson de se calmer. Après quoi, il ouvrit la porte.

Une jolie femme brune se tenait sur le seuil. Nelson renifla les odeurs typiques d'une soirée en ville : parfum, rouge à lèvres et déodorant. Sa fragrance était agréable, mais une odeur plus puissante provenait de son jean et son T-shirt fraîchement lavés. Thatcher allait l'étreindre, quand il remarqua le petit garçon de quatre ans qui se tenait à côté d'elle.

L'enfant s'anima dès qu'il vit Nelson et courut vers lui pour jouer. Thatcher avait toujours avec lui un jouet et une balle pour Nelson, et lui avait aussi donné un gros os du dîner de la veille. Le garçonnet plein d'énergie disputa le jouet en plastique au chien. Nelson, qui adorait la fougue des jeunes enfants, ne fit pas attention à la conversation entre Thatcher et la femme. Le chien s'était préparé à une soirée seul au motel, au lieu de quoi il se retrouvait à s'amuser avec un enfant. Un enfant qui était en réalité le fils de Thatcher Stevens.

Le routier appela un restaurant tout proche pour commander le dîner et bientôt, un livreur leur apporta deux grandes pizzas. Ils partagèrent le repas et l'enfant fut même autorisé à donner des petits morceaux de pizza à Nelson. Cette fois, le couple discuta avec le garçon. À un moment donné, Thatcher lui fit signe de s'approcher et l'étreignit brièvement. Nelson percevait l'émotion et le trouble de son ami, alors que le garçonnet ne semblait intéressé que par ses jeux avec Nelson.

Deux heures plus tard, Nelson remarqua que l'enfant se fatiguait, et peu après, la mère et son fils quittèrent les lieux. Tous s'embrassèrent pour se dire au revoir. Cette nuit-là, l'animal eut un sommeil agité, car Thatcher ne ferma pas l'œil, se tournant et se retournant sans relâche sur son lit. Habitué à ses ronflements, le chien était perturbé par ce silence inhabituel.

Le lendemain matin, Thatcher passa une série de coups de téléphone. Nelson n'avait pas l'habitude de rester toute une journée dans un motel. En général, quand Thatcher ne dormait pas dans son camion, il réservait une chambre le soir et partait au petit matin, souvent avant le lever du soleil. Le lendemain de sa rencontre avec son fils, Thatcher passa toute la journée dans sa chambre avec Nelson, à regarder des films et manger des restes de pizza. Nelson percevait l'anxiété de son ami. Vers 16 heures, la femme et le garçonnet revinrent. La soirée fut similaire à la précédente. Nelson aimait beaucoup son nouveau compagnon de jeu. Après un repas composé de plats chinois, la conversation entre Thatcher et la femme s'envenima rapidement. Leurs cris rappelèrent au jeune chien les querelles de Don et Katey, plusieurs mois auparavant. Le frémissement de la colère, si rare chez Thatcher, le mit très mal à l'aise. Comme leurs vociférations continuaient, l'enfant effrayé se terra dans un coin de la pièce et se mit à sangloter. Nelson le rejoignit et le lécha pour essayer de le réconforter. Le garçonnet serra le chien contre lui tout en pleurnichant. Au bout d'un moment, le couple cessa de se disputer. La femme s'approcha pour consoler son fils, mais ses pleurs redoublèrent. Thatcher voulut lui prêter main-forte, mais la femme et l'enfant le repoussèrent, avant de s'en aller.

Ce soir-là, Thatcher lui aussi pleura. Nelson s'allongea placidement contre son flanc, déconcerté par ce comportement incongru. Finalement, il s'endormit, mais Nelson ne put fermer l'œil, pressentant un bouleversement imminent. Il se blottit contre la poitrine de son compagnon, qui le caressa machinalement, malgré son sommeil agité.

Les semaines suivantes, Thatcher fut moins jovial, alors que tous deux sillonnaient l'Amérique. De temps à autre, Nelson le surprenait la larme à l'œil. Désormais, l'homme ne chantait plus à tue-tête en écoutant la radio. Avant, au moins une ou deux femmes par semaine partageaient son lit. Mais maintenant, ils n'étaient plus que tous les deux.

Nelson remarqua aussi que la colère bouillait en lui. Une colère enfouie, invisible. Quand un autre conducteur freinait sèchement devant son camion ou que l'attente était trop longue au restaurant, elle refaisait surface. Thatcher se braquait et jurait avec une agressivité que Nelson ne lui connaissait pas.

Ils revirent la mère et son fils en deux autres occasions. Pour faire le détour par la Caroline du Nord, Thatcher avait roulé jusqu'à quinze heures par jour, ce qui le rendait hagard, irritable, parfois perdu dans ses pensées. Son entrevue suivante avec son fils ne fut heureusement pas conflictuelle. Un silence mesuré s'était établi entre Thatcher et la mère. Une seule brève confrontation eut lieu quand la femme lui tendit une série de factures inattendues. Nelson ressentit l'intense émotion de Thatcher quand il étreignit l'enfant et tenta d'entamer la conversation avec lui. Durant une heure, le père et le fils jouèrent au football sur le parking de l'hôtel. À sa grande joie, Nelson fut de la partie.

Le jeune chien était déconcerté par les émotions contradictoires qui agitaient son compagnon de route. Son amour pour l'enfant était palpable, mais une sourde colère habitait son cœur, prête à éclater. La solitude qui n'était autrefois qu'un murmure lointain était devenue une puissante clameur depuis la découverte de son fils, et Thatcher n'éprouvait plus la même félicité à être constamment en vadrouille. On aurait dit un fantôme errant sans but sur les routes infinies de l'immense pays. Chaque fois qu'il voyait son fils, des sentiments confus et complexes à propos de sa propre enfance ressurgissaient, des sentiments trop longtemps refoulés. Nelson était un don du ciel, se disait Thatcher. Dieu lui avait envoyé le petit animal à dessein, pour lui venir en aide. La nuit, il caressait le chien pendant des heures, le serrant contre lui. Il appelait son fils le plus souvent possible, et tenait Nelson contre lui chaque fois qu'il essayait de communiquer avec l'enfant qui était entré si brusquement dans son existence.

Malheureusement, Thatcher se rendait bien compte qu'il serait très difficile d'introduire le garçon dans sa vie. Soudain, il désirait une chose qu'il pensait détester. Une vie de famille. Il n'avait plus envie de voyager sans relâche. Mais comment changer de vie ? Comment gagner son pain autrement qu'en conduisant un camion ? Et s'il adorait son fils, il sentait bien qu'il n'était pas amoureux de la mère. Ils avaient partagé quelques parties de jambes en l'air agréables ensemble, mais en y réfléchissant bien, leur relation n'allait guère plus loin. Donc, à bientôt quarante ans, Thatcher avait l'existence qu'il s'était forgée. Or elle ne correspondait plus à ses aspirations, et il n'avait d'autre choix que de l'accepter. Certes, il pouvait opérer quelques changements, mais pas troquer son ancienne vie contre une nouvelle, comme on le fait avec une vieille voiture. Son incapacité à être un bon père pour son fils le frustrait, et il en vint à blâmer ses parents, même s'il savait que c'était irrationnel et injuste envers eux.

Un soir, Thatcher fit halte dans une petite ville du nom de Kalispell. Le matin même, il s'était réveillé de mauvaise humeur. Nelson s'était tranquillement installé au fond du camion, sur les couvertures, préférant ne pas s'aventurer sur le siège avant. L'animal sentait que son compagnon avait besoin d'être seul.

Sur le grand parking réservé aux poids lourds, Nelson s'imprégna des senteurs des pins. Thatcher fit sortir le chien, qui emplit ses poumons des riches parfums d'herbe avant de faire ses besoins. Il adorait les petites bourgades de campagne. Les grandes agglomérations étaient toujours enveloppées de fumées industrielles qui lui rappelaient cruellement la décharge. Dans les petites villes, la nature reprenait ses droits, gonflant son petit cœur canin de joie. De retour dans la cabine, le routier émietta quelques Pringles à l'intention du chien. Puis il s'en alla sans vraiment lui dire au revoir, en laissant la fenêtre entrouverte.

La nuit venue, Nelson s'allongea, l'oreille aux aguets, sommeillant par intermittence, gardant le fort jusqu'au retour de son compagnon, sans doute parti dîner. Le jeune chien montait souvent la garde ainsi. Dans la cabine, il se sentait en sécurité, et du moment que son protecteur allait revenir, tout se passait bien.

Tard dans la nuit, il entendit les injures de plusieurs types ivres, qui mirent tous ses sens en alerte. Quelle heure pouvait-il bien être ? L'animal ignorait qu'il était 3 heures du matin, bien plus tard que l'heure de retour habituelle de Thatcher. Un malaise persistant s'empara de l'animal. Quand les premières lueurs de l'aube s'infiltrèrent dans le camion, il sut que quelque chose n'allait pas. Jamais son compagnon ne l'avait laissé seul toute la nuit.

Quand le soleil s'éleva dans le ciel et que la température de la cabine augmenta, Nelson se mit à aboyer avec force. Il détestait en venir à cette extrémité, mais il fut obligé de se soulager sur le siège avant. La faim qui lui avait tenaillé l'estomac quand il s'était perdu à Albany se fit de nouveau sentir. Fouillant dans les affaires de Thatcher, il dégota un sachet de bretzels qui le rassasia momentanément. Il avait aussi très soif, d'autant qu'il faisait horriblement chaud dans le camion. Nelson s'allongea dans l'ombre sous le volant pour préserver son énergie. Le jour fit place à la nuit et Nelson fut soulagé par la fraîcheur du soir. Il grignota les derniers bretzels et déféqua sur le siège avant, à l'endroit où il avait déjà uriné.

Le jeune chien s'inquiétait pour son ami. Si seulement il était avec lui ! Sans Nelson pour le protéger, Thatcher pouvait s'attirer des ennuis, il le savait. En fait, la colère de Thatcher avait fini par exploser dans un bar local du Montana. Un serveur revêche avait ignoré les requêtes répétées du routier, et une dispute avait éclaté. Thatcher était un homme affable, peu enclin à la provocation. Mais il s'était déjà enfilé quatre bières quand le serveur le traita de vagabond et de raté. Sans réfléchir, il se leva et agrippa le type par la chemise. Celui-ci voulut frapper Thatcher, qui se baissa vivement. En réponse, le routier lui carra un puissant coup de poing dans l'estomac, envoyant son adversaire au tapis. Deux locaux et amis du serveur se jetèrent dans la bataille. Thatcher avait beau être costaud, il ne pouvait guère combattre trois hommes en même temps. Ses adversaires finirent par le jeter au sol et le rouer de coups de pied.

On ne savait jamais qui, dans ce genre de bar d'habitués, avait une arme sur lui. Thatcher n'en portait jamais. Son père adorait les pistolets et enfant, il l'avait vu une fois ou deux menacer sa mère avec. Ainsi, devenu adolescent, il s'était promis de ne jamais avoir un revolver sur lui. Mais quand Thatcher, le nez en sang, leva les yeux sur les hommes qui le frappaient, il vit l'éclat fugitif de l'acier de l'arme que l'un de ses assaillants ôta de sa poche, et se jeta sur lui pour se protéger. Quand les deux hommes entrèrent en collision, le coup partit tout seul et la balle vint se loger dans le tibia du routier. Les clients du bar, qui avaient jusque-là encouragé les bagarreurs, intervinrent enfin pour les séparer.

Allongé sur son lit d'hôpital, la jambe atrocement douloureuse, le visage et le corps couverts d'hématomes violacés, Thatcher tenta de demander à l'agent de police chargé de ramener son camion au commissariat de prendre soin de son chien. Mais l'agent, âgé d'une soixantaine d'années, avait ses propres problèmes à gérer. En grimpant dans la cabine du camion, il pensait à son taux de cholestérol et à son fils rebelle, aussi ne fit-il aucun effort pour rattraper le chien qui fila comme une fusée dès qu'il ouvrit la portière, puis disparut dans les bois. Il se dit qu'il essayerait de le trouver après avoir déplacé le camion au commissariat, situé à deux cents mètres de là. Mais, après avoir passé une demi-heure à nettoyer la pisse et la merde de Nelson, et que sa femme lui eut crié que son cheeseburger allait refroidir, le policier décida de raconter à Thatcher que son cabot s'était échappé et qu'il n'avait pas pu le retrouver, malgré ses efforts.

Le malheureux sanglota sans pouvoir se contrôler quand l'infirmière lui annonça à l'hôpital que son chien s'était enfui et avait disparu. Il implora la jeune femme de l'aider, mais l'un des types que Thatcher avait cognés était son cousin, et elle n'avait pas la moindre compassion pour lui. Le Vicodin et les antibiotiques le plongèrent dans un sommeil sombre et profond. Il rêva qu'il était piégé dans un fossé, au cœur d'une épaisse forêt. Perché au bord du gouffre, Nelson aboyait comme un forcené. Le seul espoir de Thatcher était que quelqu'un finisse par le trouver.

14.

Le petit chien rêva lui aussi. Son existence avait été brève, très brève même, si on la comparait à celle de certaines autres créatures de la planète. Pourtant, il avait déjà des souvenirs extraordinaires et détaillés, enfouis dans le labyrinthe de son cerveau, des souvenirs constitués d'un réseau complexe d'odeurs. Dans ses rêves, tous ces effluves, âcres ou doux, rencontrés au cours de sa courte vie, se combinaient en des formes inhabituelles et se mêlaient aux émotions profondes –, espoir et crainte, amour et tristesse –, expérimentées par le jeune chien.

Dans son sommeil, le nez de l'animal tressaillait à mesure qu'il parcourait le chemin tortueux qui menait des fleurs odorantes de Mme Anderson aux paumes chaudes de Vernon à l'animalerie. Il rêvait des multiples strates de bois du piano de son Grand Amour. Ses songes étaient peuplés d'odeurs, mais aussi parfois des hautes fréquences du piano, ces notes enchanteresses dont les humains ne percevaient que l'écho. Ces merveilleuses essences de bois et ces mélodies magiques étaient hélas constamment submergées dans ses cauchemars par les relents caustiques et le bruit métallique des poubelles que Nelson avait été obligé de fouiller. Même s'il la cherchait sans relâche dans l'éther de ses rêves, Katey demeurait introuvable.

L'odeur de Thatcher imprégnait toujours sa fourrure. La présence de son compagnon de route était fermement ancrée dans la psyché de l'animal, qui s'attendait toujours à le voir, quand il se trouvait dans cet état de semi-conscience, entre sommeil et éveil. Comme Katey autrefois, Thatcher était devenu le centre de son univers. Le chien recherchait une routine basée sur un lieu, un foyer, mais durant ses longs périples avec Thatcher, il avait compris qu'il n'était pas nécessaire d'avoir un point d'ancrage géographique pour se sentir enraciné. Thatcher était devenu sa famille, tout comme Nelson pour le routier.

Malheureusement, à son réveil, Nelson ne trouva nulle trace de Thatcher. Le chien était allongé sous un grand pin, en bordure d'une forêt qui s'étendait sur plusieurs kilomètres. Il inhala l'air frais du petit matin. Une sensation agréable. Les arbres et la pelouse lui procuraient toujours un plaisir immense. Du cœur de la forêt émanaient les effluves d'autres animaux – des petits rongeurs, des oiseaux. Des créatures inconnues aussi, à l'odeur proche de celle des chiens, mais plus intense, plus sauvage. Les poils de son échine se hérissèrent quand l'odeur lointaine d'un loup ou d'un coyote chatouilla les terminaisons nerveuses de son nez puissant.

Mais la peur se dissipa rapidement. Des senteurs familières indiquaient la présence d'habitats humains tout proches. Des arômes alléchants de hamburgers et de frites, des effluves d'herbe fraîchement coupée, de voitures, de goudron, et de bois taillé et traité par la main de l'homme. Quand les humains coupaient du bois pour leurs maisons ou leurs feux, celui-ci recelait une fragrance distinctive, différente du bois naturel et vivant des arbres, eux aussi répertoriés dans l'inventaire olfactif de Nelson. Il aimait l'odeur des arbres, mais aussi du bois de construction, synonyme pour lui de foyer chaleureux, de maisons sûres et surtout, du piano de son Grand Amour.

Le chien se leva, attiré par la ville toute proche. Quand il s'était échappé du camion la veille, il avait couru à perdre haleine, sans réfléchir, et s'était finalement écroulé sous un arbre à la lisière de la forêt. À présent, il se dirigeait lentement vers le cœur de la ville, nez au vent, à la recherche de Thatcher. Un moment, il crut le sentir, et en effet son compagnon se trouvait à une centaine de mètres de là, dans un lit d'hôpital, profondément endormi. Mais tous deux n'étaient plus destinés à se revoir.

Nelson avait de nouveau faim. Cette sensation ne provoqua pas en lui la même terreur mêlée de désespoir que la première fois. Car depuis un an qu'il errait par monts et par vaux, il savait désormais comment trouver de la nourriture. Une douleur sourde creusait son estomac, mais le chien huma l'air doux de la petite ville de campagne du Montana, Kalispell, et sut que sa faim serait de courte durée.

Les arômes de hamburgers et de frites repérés plus tôt provenaient d'un petit chalet de bois rouge, où les routiers faisaient halte pour manger dans le grand restaurant, qui servait non seulement des hamburgers, mais aussi du poulet frit, des *burritos* et des pancakes. Les poubelles de l'établissement se trouvaient dans un immense conteneur à l'extérieur, qui était vidé tous les trois jours, et débordait souvent au moment de l'arrivée de l'éboueur. Bien sûr, l'odeur de Thatcher était unique, mais elle recelait les caractéristiques propres aux routiers, une combinaison de sueur – après les longues heures passées dans l'air conditionné de la cabine confinée –, de savon bon marché et du régime riche octroyé par les restaurants comme celui de Kalispell. Le petit chien, qui espérait encore retrouver Thatcher, était rassuré par ces émanations désormais familières.

En bas du container, une ouverture permettait aux employés du restaurant d'y insérer les poubelles. Des rats et autres petites créatures s'en servaient fréquemment. Adepte des ordures, depuis son séjour prolongé dans la décharge d'Albany, Nelson dénicha aisément son petit déjeuner dans la grande poubelle. Il se régala de galettes de pomme de terre, d'œufs au plat et du gras d'un faux-filet qu'un routier obèse avait dédaigné. Nelson savoura cette nourriture facilement gagnée. Pendant qu'il mangeait, la cuisinière l'observait. Marta Herrera, une femme corpulente d'origine mexicaine, sourit en voyant le petit chien se régaler des restes de sa cuisine. Dans un autre quartier de la ville, un chien errant près d'une poubelle aurait déclenché une réaction agressive, mais Marta venait de Ciudad Juarez, une ville où les animaux errants étaient légion et où il était naturel de les laisser se nourrir de déchets. En fait, Marta était agacée par l'insistance de son mari à acheter de la pâtée pour chiens à leur berger allemand et son refus de lui donner leurs fins de repas. Son mari était intransigeant à ce sujet, affirmant que cela pouvait rendre les chiens malades. Marta ne supportait pas la souffrance des nombreux chiens abandonnés qu'elle avait vus au Mexique durant son enfance. Les restes étaient bons pour ces bêtes. Son grand-père lui avait expliqué que les chiens descendaient des loups qui se nourrissaient de restes trouvés près des feux de camp des hommes, il y a plusieurs millénaires, et il n'y avait aucune raison de ne pas perpétrer cette tradition.

Ainsi, Marta laissa le chien manger à satiété près de son restaurant. Chaque fois que ses employés essayaient de le chasser, elle les réprimandait gentiment et tous finirent par accepter que Nelson se nourrisse dans les poubelles de l'établissement. Le matin, elle mettait parfois de côté un petit quelque chose – un steak à demi mangé ou un morceau de cheesecake – et le lui donnait personnellement. À plusieurs reprises, elle pensa à ramener l'animal chez elle, mais son mari ne voudrait jamais en entendre parler. Marta était amusée par la curiosité qu'elle lisait dans le regard du petit chien, ainsi que par la façon dont il remuait sa queue touffue, tel un éléphant éventant un Maharajah. Malheureusement, son mari ne tolérait que les bêtes de race dans sa propriété et préférait les chiens de grande taille. Nelson ne prit pas la décision consciente de rester dans la petite ville. Une série d'événements l'avait amené à faire ce choix logique. La douceur de l'air. La cuisine de Marta. Son désir de retrouver Thatcher, qui pourtant s'amenuisait peu à peu. Mais le jour où Thatcher ne fut plus qu'un lointain souvenir, Nelson s'était déjà acclimaté à sa nouvelle vie.

Cependant, sa principale motivation pour rester à Kalispell était une femelle.

15.

Lucy n'avait pas exploré le monde comme Nelson. Oui, elle aussi était un chien errant, mais elle n'avait jamais quitté le Montana. Ses ancêtres étaient de tant de races différentes qu'il était impossible de retracer sa généalogie rien qu'en observant la petite chienne. Née dans les rues d'Helena, dans le Montana, Lucy était issue d'une portée de quatre chiots. Son père comme sa mère étaient des bâtards. Son père était mort avant sa naissance, écrasé par un camion. Sa mère lui donna le jour dans l'espace exigu du conduit d'air conditionné d'un vieil immeuble. Épuisée par l'accouchement, elle trouva malgré tout la force de fourrager dans les poubelles avoisinantes pour produire le lait nécessaire à l'alimentation de ses chiots voraces.

Hélas, elle n'avait pas assez de lait pour tous ses petits, et deux succombèrent. Un soir, un homme et sa fille entendirent les plaintes des petits survivants qui réclamaient de la nourriture à grands cris. Leur mère était partie chercher de quoi apaiser sa propre faim dévorante. La fille supplia son père de recueillir les chiots. À contrecœur, l'homme accepta. La sœur de Lucy mourut deux jours plus tard.

Mais Lucy survécut. Sa nouvelle maîtresse, Caitlin, lui donna le prénom d'une chanson des Beatles. C'était une petite chienne au pelage couleur sable, aux pattes courtes et aux yeux perçants. Sa queue était pelucheuse et expressive, comme celle de Nelson. Bientôt, elle oublia sa mère, puis sa sœur, et Caitlin devint son Grand Amour.

Six mois plus tard, la mère rebelle de Caitlin finit par gagner son procès en appel pour la garde de sa fille, et l'enfant prit l'avion pour la Californie, pour aller vivre avec sa mère. Caitlin adorait Lucy et voulait à tout prix l'emmener avec elle. Mais sa mère était allergique aux chiens et aux chats, et se considérait comme la reine de son petit royaume. La fillette pleura pendant une semaine. Son père, qui n'aimait pas particulièrement les chiens, garda Lucy uniquement pour inciter sa fille à lui rendre souvent visite.

Mais Lucy n'avait pas oublié son Grand Amour. Bientôt, elle comprit qu'elle devait s'échapper pour tenter de la retrouver. Déterminée à se sauver, elle se mit à creuser subrepticement un trou sous la clôture. Dès que le père de Caitlin partait travailler, la petite chienne poursuivait son ouvrage avec ardeur. Un jour, le père fut surpris de ne pas trouver la chienne à la maison, et découvrit bientôt le trou qu'elle avait creusé sous la clôture. Sa fille sanglota pendant des jours en apprenant la triste nouvelle. Mais, au fond de lui, le père était soulagé de la fuite de l'animal et ne fit aucun effort pour la retrouver les jours suivants.

À l'instar du périple de Nelson, le voyage de Lucy jusqu'à Kalispell fut semé d'embûches et bien des fois, elle se retrouva seule, effrayée et perdue. Les chances de survie d'un chien errant étaient maigres. Mais Lucy, avec son tempérament batailleur et enjoué, était pleine de ressources. Ainsi, elle réussit à s'en sortir. Son intention première de retrouver Caitlin fut rapidement balayée par la nécessité de survivre.

Nelson était souvent réveillé par une odeur spécifique, comme un homme pouvait être tiré de son sommeil par un grand bruit. Mais un matin, environ un mois après son arrivée à Kalispell, le petit chien fut réveillé en sursaut par un parfum puissant et enivrant.

Il avait pris l'habitude de dormir près des bouches de chauffage de la pension, où il prenait son petit déjeuner tous les matins. L'hiver approchait, mais l'air tiède de la soufflerie le gardait au chaud. Le jeune chien sentait l'air se refroidir progressivement, mais son cerveau ne pouvait en déduire que l'hiver serait rigoureux. S'il en avait eu conscience, le petit chien aurait été terrorisé.

Nelson rêvait sans cesse de Thatcher et de Katey. Il dormait près d'eux, dans une maison inconnue, faite d'un bois étrange. Des rats grouillaient sous les planchers et les toits. Ce rêve dérangeant fut interrompu par le parfum de Lucy. C'était une fragrance extraordinaire. À son réveil, une bruine légère tombait, même si quelques rais de soleil perçaient les nuages grisâtres. Alors que la pluie chassait habituellement la majorité des odeurs, l'émanation qui enflamma ses narines semblait intensifiée par les gouttes d'eau. Nelson savait qu'elle provenait d'un autre chien. Mais pas seulement. Cette odeur renfermait la vie, ainsi qu'une essence universelle totalement irrésistible. Son cœur était envoûté. Rien ne pourrait l'empêcher d'en découvrir la source.

Lucy vagabondait sur le parking tout proche, en quête de nourriture. Elle s'était aventurée dans la ville tôt ce matin-là. Elle était épuisée, mais ne pouvait dormir l'estomac vide. Chaque fois qu'elle avait ses chaleurs, son appétit devenait si puissant qu'elle avait le plus grand mal à trouver suffisamment de nourriture pour le satisfaire.

Les arômes de cuisine qui flottaient dans les environs avaient irrésistiblement attiré la petite chienne à Kalispell. Généralement, la nourriture humaine était bonne. Quand la chienne trouvait une ville qu'elle pouvait arpenter sans risques, elle en tirait avantage. Une fois, elle avait été capturée par un employé de la fourrière et enfermée dans une cage terne. Des morts planaient dans le fond du bâtiment. De temps à autre, un chien était traîné par un employé dans une pièce adjacente, où son odeur se transformait en une émanation fétide, affreusement gênante. Des relents âcres de fumée envahissaient l'atmosphère et de l'animal ne restait qu'une vague fragrance, à peine perceptible dans l'air. Lucy était déterminée à échapper à ce destin et à la terreur qui paralysait tout son être.

Les chiens de petite taille avaient plus de chances de s'enfuir, en se faufilant entre les jambes des humains qui s'occupaient de leur cage, et en décampant à toute allure. Lucy avait profité de l'aubaine.

Forte de cette expérience, Lucy avait développé un sens aigu de ses chances de survie dans une ville sans risquer d'être capturée par les employés de la fourrière. Dans certaines agglomérations, les hommes traquaient activement les animaux sans collier ni laisse. La majorité de ces humains étaient doués de bonnes intentions, Lucy le sentait bien, mais il n'était pas question pour elle de retourner dans cette prison. Dans d'autres bourgades, les humains les laissaient tranquilles et leur donnaient même occasionnellement un peu de nourriture, ce que Lucy appréciait particulièrement.

Quand elle s'aventura dans Kalispell ce jour-là, elle n'aurait su dire si cette ville serait accueillante pour elle. Mais ce n'était pas ce qui occupait son esprit. Comme trouver à manger était son unique préoccupation, ce n'était pas une coïncidence si elle se dirigea vers la pension des routiers où Nelson dormait. Les délicieux arômes de la cuisine de Marta ondoyaient dans l'air chargé de pluie.

Lucy fut totalement décontenancée quand Nelson surgit derrière elle et lui fourra rageusement le nez entre les pattes puis tenta de l'enfourcher. Nelson était aussi déconcerté que la chienne par ses propres actes. Il était encore vierge et n'avait pas été préparé à l'acte sexuel par ses parents ou ses pairs, contrairement aux humains. L'odeur de Lucy affolait tout simplement ses sens et son corps réagissait malgré lui. Brillante, intense, saturée de couleurs magnifiques, la fragrance de Lucy était tel un arc-en-ciel illuminant son cœur et son âme. Il désirait seulement fusionner et ne faire qu'un avec cet autre petit chien qui avait fait irruption dans sa vie dans une telle explosion sensorielle.

Lucy ne l'entendait cependant pas ainsi. Elle lui fit face et gronda en le regardant droit dans les yeux, babines retroussées, tentant de comprendre ce que lui voulait cet inconnu. L'odeur de Nelson n'avait pas sur elle le même effet enivrant. Pourtant, elle trouvait son odeur étrangement douce, et même noble. Elle grogna plus doucement. Il bondit alors de nouveau sur elle, lécha le museau et la mordilla tendrement dans le cou.

Tenaillée par la faim, elle s'enfuit à toutes jambes, aussitôt prise en chasse par Nelson. Parvenue devant les poubelles du restaurant, Lucy s'arrêta net devant la source de nourriture qui alimentait Nelson depuis son arrivée à Kalispell. Elle se jeta sur une omelette à moitié entamée au cheddar et au bœuf haché, puis engloutit quelques frites.

Le temps de son repas, Nelson l'avait montée avec succès. Lucy était vierge elle aussi, mais c'était seulement à cause de son besoin désespéré de manger qu'elle avait laissé Nelson parvenir à ses fins. Quand la faim de Lucy s'apaisa, les petites pattes de son partenaire l'enserraient comme un étau et il allait et venait en elle. C'était une sensation assez douloureuse et elle flaira un peu de son sang. Mais sans savoir pourquoi, elle laissa son partenaire poursuivre son mouvement de va-et-vient. Elle huma de nouveau son odeur, cette fois avec plus de plaisir. Ce chien était magnifique.

De la fenêtre de sa cuisine, Marta regardait les deux petits chiens s'accoupler. Une partie d'elle était heureuse à l'idée que des chiots verraient le jour dans deux mois environ. Elle les nourrirait et les autoriserait peut-être à dormir dans la cuisine de son restaurant. Mais elle était triste aussi, car elle savait que la majorité des bâtards non désirés terminaient dans la rue et mouraient de faim.

Elle ignorait que Nelson avait été castré et que même si Lucy était fertile, jamais elle n'aurait de petits de lui. Les deux chiens n'avaient nullement conscience que l'acte sexuel conduisait généralement à la naissance d'une portée. À leurs yeux, le sexe n'était rien d'autre qu'une nouvelle activité excitante, remplie d'énergie vitale, baignée d'un fabuleux arc-en-ciel de senteurs, où tous deux flottaient avec un bonheur sans mélange. Alors que leurs corps fusionnaient et que leurs chaleurs s'entremêlaient, Nelson se sentit à la fois comblé et pris d'un frisson d'extase. Au moment de l'orgasme, il crut qu'il allait exploser de joie. Si les sentiments de Lucy étaient moins intenses, elle sentit la liesse de son partenaire éclater en elle, et elle-même fut plus heureuse que jamais.

Cela dit, la petite chienne de caractère n'avait pas l'intention de se laisser manipuler par qui que ce soit, en particulier un autre chien. Dès que Nelson se détendit, elle se dégagea de son emprise et s'enfuit à toutes jambes, comme si sa vie en dépendait, immédiatement pourchassée par son nouveau compagnon. Ils s'accouplèrent à plusieurs reprises ce jour-là – peut-être dix ou quinze fois. Si Nelson avait été fertile, Lucy serait probablement tombée enceinte. Leur journée fut un inlassable jeu de cache-cache. Nelson se réjouissait de chevaucher sa partenaire, mais dès l'affaire faite, la petite chienne se sauvait, l'obligeant à la pourchasser dans toute la ville, ainsi que dans les bois alentour. Au bout de la quatrième ou cinquième fois, ce ne fut plus un jeu pour Lucy, qui commençait à apprécier le sexe autant que son compagnon.

Dans la soirée, la faim les tirailla de nouveau et ils savourèrent des restes de poulet frit dénichés dans la poubelle. Les chiens ne passaient pas de contrat moral, ne décidaient pas de rester ensemble. Nelson s'éloigna pour regagner son repaire, devant la bouche de chauffage où il s'installa pour la nuit. N'ayant rien de mieux à faire, Lucy lui emboîta le pas et s'affala à côté de lui. La passion de leurs ébats avait capitulé devant le pragmatisme de la soirée. La nuit était plus froide que les précédentes et en se blottissant l'un contre l'autre, ils réussirent à combattre le vent glacial de l'hiver naissant.

Dans les mois à venir, leurs chaleurs corporelles, ajoutées au souffle tiède de la ventilation, leur permettraient de se tenir chaud toute la nuit. Le matin, ils s'éveilleraient transis de froid. S'ils avaient dormi seuls par de telles conditions, tous deux seraient sûrement morts. Ensemble, ils échappèrent à ce terrible destin, même s'ils souffraient par moments d'un froid insupportable.

Durant les quelques jours des chaleurs de Lucy, leurs ébats fougueux se poursuivirent. Après quoi, les odeurs des deux chiens leur étaient devenues familières et complémentaires. La nature de l'amour entre chiens n'était pas comparable à celle du Grand Amour qu'un chien ressentait pour son maître. Des facteurs pratiques liaient les deux êtres. La chaleur, le sexe occasionnel, et la sensation de force et d'enracinement créée par le phénomène de meute. Néanmoins, tout au fond de leur petit cœur canin, ils éprouvaient aussi de l'amour.

Écoutez *Nelson and Lucy* :
www.youtube.com/watch?v=XYjn9oiUp30.

16.

Herbert Jones ne se considérait pas comme un homme malchanceux. Sa vie avec sa femme et ses trois enfants avait été raisonnablement heureuse. En tant que superviseur d'une scierie, il avait bien gagné sa vie. Il aimait les habitants de sa petite ville, qui dans l'ensemble le considéraient comme un patron juste et un compagnon amical. Son travail était satisfaisant et le week-end, quand il en avait le loisir, il prenait plaisir à sculpter des oiseaux ou des écureuils dans des chutes de bois. Quand Herbert prit sa retraite à soixante-cinq ans, la sculpture sur bois devint son activité principale, et il vendit les petites figurines dans des magasins de souvenirs à une centaine de kilomètres à la ronde.

À quatre-vingts ans, Herbert Jones pouvait néanmoins se considérer comme malchanceux, en un sens. Les plupart des femmes survivaient à leur mari. Pour beaucoup d'hommes âgés, c'était une évidence. Herbert n'avait jamais envisagé la possibilité de perdre sa femme. Après cinquante ans de mariage, leurs existences étaient si enchevêtrées qu'il était pratiquement impossible de les séparer. Presque chaque détail de leur vie quotidienne avait été façonné par des années de compromis, ponctuées de brefs conflits, toujours surmontés par leur indéfectible amour. Comme tous les couples qui avaient passé tant d'années côte à côte, ils étaient tel un manteau élimé l'un pour l'autre. Quelques trous auraient mérité d'être reprisés et plusieurs boutons manquaient à leur habit, mais dans l'ensemble, le vêtement était si confortable et si familier qu'ils ne l'auraient échangé pour rien au monde, et au bout du compte, c'était son usure et ses anicroches qui le rendaient si parfait.

À l'âge de soixante-douze ans, sa femme de trois ans sa cadette contracta un cancer du pancréas et mourut peu de temps après. Son épouse, si solide, avait toujours pris en main les moindres détails de leur existence, de sorte qu'il paraissait inconcevable qu'elle quitte cette terre la première. Elle-même l'avait conforté dans sa conviction qu'il mourrait le premier et lui avait promis de trouver à chacune de ses figurines de bois une bonne maison. Cette femme prévoyante avait même planifié le partage de leur petit patrimoine immobilier entre leurs trois enfants et quatre petits-enfants, qui vivaient désormais tous loin de Kalispell.

Après la mort de sa bien-aimée, Herbert s'était muré dans un déni salvateur. Plusieurs heures par jour, il était convaincu que son épouse vivait toujours à ses côtés. Son fantôme s'asseyait dans la cuisine et le regardait préparer son petit déjeuner, tout en lui prodiguant des conseils. Le vieil homme attendait que les petites bulles sur les pancakes éclatent avant de les retourner, comme sa femme le lui avait appris. Il ne manquait jamais d'ajouter un peu d'adoucissant à la lessive, car le fantôme de son épouse se tenait près de lui et se moquait gentiment de ses piètres compétences domestiques. Tard le soir, il prenait l'oreiller de sa bien-aimée et le serrait contre lui au moment de s'endormir, convaincu qu'il tenait son épouse dans ses bras.

Enfin, au bout d'un an, le fantôme finit par quitter la maison et Herbert Jones se retrouva seul, livré à lui-même. Une immense tristesse se logea dans son cœur, sans doute pour le restant de ses jours. Le vieil homme s'employa à chasser son chagrin en se plongeant dans la routine. Les petites habitudes de sa femme l'avaient rendu profondément heureux toutes ces années. La façon dont, sans un mot, ils s'entraidaient durant la journée. Tous les matins, elle posait à son intention sur la table de la cuisine une tasse de café avec deux sucres, ainsi qu'un bol de lait chaud rempli de flocons d'avoine et de raisins secs. Le soir, il lui massait les pieds, son petit plaisir, même quand ils sentaient un peu fort après une dure journée. Elle faisait toutes les courses au supermarché et revenait toujours à la maison encombrée de plusieurs sacs de provisions, qu'il l'aidait à déballer.

Sa routine quotidienne installée, après la disparition de son épouse, Herbert comprit que s'il ne passait pas un peu de temps hors de la maison tous les jours, le chagrin aurait raison de lui. Et, bien sûr, comme sa grand-mère le lui avait appris, l'exercice était la clé d'un esprit sain. Ainsi, il se força à parcourir tous les jours les quelques centaines de mètres qui séparaient sa petite maison de la rue principale de Kalispell, en longeant la forêt de pins. Il marchait lentement le long de la route étroite et sinueuse qui menait en ville. Puis il s'arrêtait à l'épicerie pour prendre un café, un hot-dog ou une tourte au poulet. Parfois, il faisait quelques courses au supermarché, si l'épicerie ne disposait pas des provisions dont il avait besoin. Il évitait d'acheter trop de denrées, pour ne pas se priver de sa balade du lendemain.

Après son passage en ville, il rentrait tranquillement chez lui avec ses achats. Les habitants le connaissaient tous, certains avaient même calqué l'heure de leur déjeuner sur son apparition dans la rue principale. Le vieil homme arrivait en effet sur Main Street autour de 12 h 30, pile à l'heure du déjeuner.

Pendant trois ans, Herbert s'astreignit à cette pratique quotidienne. Une activité agréable, qui chassait son blues. Seuls le vrombissement et la fumée toxique des camions ou des motards occasionnels entamaient son plaisir journalier.

Ainsi, même s'il pensait tous les jours à sa tendre épouse, il avait retrouvé une certaine joie de vivre. La sculpture de ses animaux de bois lui procurait beaucoup de plaisir et la ville de Kalispell ne cessait de l'enchanter grâce à son air doux, ses forêts et ses montagnes lointaines.

Au cours de ses promenades, il remarqua plusieurs fois les deux petits chiens qui avaient élu domicile sur un espace sablonneux, dans un tournant de la route qui menait au cœur de la ville. L'un des deux chiens était court sur pattes, lui rappelant le chien de son enfance dans l'Arizona. L'autre attirait davantage l'attention. Son pelage avait des couleurs étonnantes, en particulier sur le museau. Quand cet animal vous observait, on aurait dit qu'il sondait votre âme d'un air à la fois interrogateur et affectueux. Et lorsqu'il agitait sa queue broussailleuse, il créait une sorte de halo vibrant au-dessus de son museau unique. Au début, Herbert se contenta d'observer les deux complices. Mais un jour, il récupéra les restes de son petit déjeuner – quelques morceaux de pancakes – et les fourra dans un sac plastique avant d'aller en ville. Ainsi, il prit l'habitude de nourrir les chiens au cours de sa promenade. Tous deux mangeaient avec appétit, même s'ils n'étaient pas spécialement affamés.

Bientôt, cela devint un rituel. Herbert sortait tous les jours, sauf le dimanche, et trouvait ses petits protégés à peu près au même endroit, impatients de savourer leur friandise quotidienne. Après quoi, Herbert reprenait sa route. Au début, les deux petits chiens voulurent le suivre, surtout celui aux couleurs inhabituelles. Quand il était petit, Herbert adorait les chiens. Une fois marié, avant d'avoir des enfants, il avait pensé qu'un animal domestique compléterait parfaitement le petit clan qu'il était en train de fonder avec sa femme. Malheureusement, sa compagne était extrêmement allergique aux chats et aux chiens. Le simple fait de pénétrer dans une maison imprégnée de la présence de ces bêtes suffisait à la faire éternuer et lui piquer les yeux. L'arrivée de la Claritin, quelques années plus tard, l'aida un peu, mais sans plus.

Ainsi, ses allergies les empêchèrent d'avoir un animal domestique. Herbert ne l'avait jamais vraiment regretté, l'amour de sa femme étant plus qu'une compensation. Seulement, il se rappela la joie de posséder un animal de compagnie plus tard, quand ses fils et sa fille se plaignirent de l'absence d'un chien dans la maison.

À présent que son épouse n'était plus de ce monde, le vieil homme pouvait très bien prendre un animal chez lui. Cette idée lui traversa plusieurs fois l'esprit en voyant les deux chiens errants. Il se disait qu'ils auraient bien besoin d'un bon bain. Mais Herbert ne pouvait s'y résoudre. D'une certaine façon, cela reviendrait à manquer de respect à sa défunte épouse.

C'est pourquoi il chassa les deux compères chaque fois qu'ils faisaient mine de le suivre. Au bout de quelques jours, les chiens se résignèrent. Herbert avait même l'impression que Nelson comprenait pourquoi le vieil homme ne pouvait pas le recueillir chez lui. Même si sa tendre épouse avait quitté cette terre, ses volontés devaient être respectées.

17.

Nelson et Lucy étaient heureux, malgré leur existence, souvent difficile, de vagabonds. À force de dormir dans le froid glacial, ils tombaient malades, toussaient et éternuaient sans relâche. Dans ces moments pénibles, chacun ressentait l'inquiétude, la tristesse et l'épuisement de son compagnon. S'ils avaient été seuls, ils auraient pu facilement succomber à ces afflictions. Mais la nuit, ils se réchauffaient mutuellement, et le jour, ils jouaient ensemble pour lutter contre la maladie et conserver leur entrain, ce qui les maintenait en vie. Quand ils recouvraient la santé, leurs jeux n'en étaient que plus fougueux. Ainsi, ils étaient heureux ensemble.

Les complices batifolaient et se pourchassaient constamment en aboyant l'un après l'autre et en se mordillant gentiment. Ces jeux n'étaient guère différents de ceux des louveteaux qui vivaient dans les bois, à quelques kilomètres seulement de là. Mais alors que le jeu n'était qu'une étape dans la vie du loup, il faisait partie de la nature même du chien. Une caractéristique profondément ancrée dans leur âme. De même taille, Nelson et Lucy étaient de parfaits camarades de jeu. Ni l'un ni l'autre n'en venait réellement à dominer son comparse, malgré leurs tentatives de devenir le chef de leur petite meute. Nelson prenait le dessus un moment, puis Lucy puisait dans son cœur une énergie nouvelle, et réaffirmait sa domination sur son partenaire. Seules les chaleurs bimensuelles de Lucy créaient un réel déséquilibre entre eux, mais cela ne durait jamais très longtemps.

Avec le temps, l'odeur de Lucy devint pour Nelson aussi rassurante que celle de Katey ou Thatcher autrefois. Même sans réel foyer, Nelson et Lucy avaient établi une sorte de routine entre eux. Ils dormaient et mangeaient tous les jours au même endroit. La journée, ils passaient le plus clair de leur temps sur un terre-plein sablonneux situé au niveau d'un virage, juste à l'entrée de la ville. Un lieu généralement paisible, où ils ne risquaient pas de croiser des humains bien intentionnés qui les enverraient à la fourrière. Surtout, l'endroit était chaud. Comme il était ensoleillé une grande partie de la journée, et constitué de sable, la chaleur ne s'évaporait pas aussi vite que sur du bitume. De plus, Nelson et Lucy pouvaient aisément creuser le sol meuble, une activité très prisée par la petite chienne. Elle avait créé une cachette secrète où elle enfouissait les os de bœuf ou de poulet dénichés parmi les ordures du restaurant. Parfois, lors d'une nuit particulièrement froide, les deux complices s'ensevelissaient sous le sable tiède et réchauffaient ainsi leurs os gelés. Lentement, leurs corps retrouvaient leur énergie et les deux chiens en émergeaient tout ébouriffés, prêts à reprendre leurs pétulants divertissements. Après quoi, ils regagnaient leur coin près de la bouche de chauffage pour la nuit.

Le vieil homme qui les nourrissait chaque jour faisait lui aussi partie de leur quotidien. Dès que l'homme ouvrait la porte de chez lui, les deux chiens humaient son odeur et attendaient avec impatience leur friandise du jour. Il dégageait une fragrance chaleureuse, rassurante, même si Nelson percevait autre chose sur sa peau, un mélange de vieillesse et de décrépitude, teintée de la maladie qui le rongeait de l'intérieur. Nelson n'aimait guère cette odeur, même s'il n'en comprenait pas la signification.

Les deux compagnons passaient beaucoup de temps à respirer les arômes charriés par les brises de Kalispell. Les montagnes ancestrales, les forêts et les lacs qui entouraient la ville sur des centaines de kilomètres reflétaient l'histoire kaléidoscopique et mouvementée de la région. Comme les légendes que lui contait l'herbe d'Albany, l'air de Kalispell lui narrait l'histoire millénaire et merveilleuse de la vie et la mort des montagnes, des rivières, des plantes et des créatures de ces terres fabuleuses.

Nelson ne savait trop que penser de l'odeur des loups qu'il décelait dans l'atmosphère de la ville. Au début, il crut renifler d'autres chiens. Mais alors que l'odeur des chiens l'attirait, celle des loups était vaguement menaçante. En son cœur, une noirceur inconnue le troublait et venait souvent hanter ses rêves.

Les deux chiens percevaient aussi parfois la présence de coyotes dans les vents du Montana.

Contrairement à l'odeur lointaine des loups, musquée comme un vieux livre, la présence fraîche du coyote agressait leurs narines. Dans le cerveau de Nelson, le coyote n'était qu'une variation du chien. Un chien qu'il fuirait d'instinct, étant donné sa nature agressive. Cette créature lui évoquait des images de crocs, de sang, de sueurs et de hurlements dans la nuit.

Au moins dix coyotes vivaient dans la périphérie de Kalispell. Comme Nelson et Lucy, ils dépendaient en partie des êtres humains qui habitaient en ville. Les restes de leur nourriture constituaient pour eux des sources essentielles d'alimentation. Mais alors que les deux chiens adoraient le contact humain, et rêvaient la nuit de vivre dans leur maison, les coyotes étaient profondément sauvages. D'instinct, ils détestaient les êtres humains et étaient capables de les tuer à la première occasion.

La nuit, les coyotes s'aventuraient souvent subrepticement dans les rues de Kalispell, en quête de nourriture. Parfois, un homme en surprenait un, mais finissait par se dire que la créature nocturne n'était que le fruit de son imagination, tant les coyotes étaient habiles à se fondre dans les ténèbres, telles des apparitions inquiétantes.

Les coyotes mangeaient toutes sortes de déchets humains, ainsi que des petits oiseaux, des rats et des écureuils. Contrairement aux chiens, ils n'hésitaient pas à tuer pour se nourrir. Il arrivait qu'un coyote s'accouple avec un chien, donnant naissance à un spécimen hybride. Cela dit, les coyotes n'avaient aucune tendresse pour les chiens de petite taille. Ils leur reconnaissaient certaines similitudes avec leur propre espèce, mais cela ne faisait naître en eux aucun sentiment fraternel. Tout animal de petite taille constituait une proie facile, qu'ils tuaient et dévoraient sans émotion. Les familles conscientes de l'attrait de ces bêtes sauvages pour leurs animaux domestiques les gardaient la nuit en sécurité dans leur maison et les enfermaient le jour dans de solides clôtures.

18.

Nelson fit un cauchemar. Il courait à perdre haleine dans une forêt ténébreuse. Au loin, il entendait les gémissements déchirants de Lucy, mais ne parvenait pas à la trouver, ni à l'atteindre. Une odeur de mort planait dans l'atmosphère, l'odeur du vieil homme qui leur donnait à manger. Au cœur de l'épaisse forêt, la nature ne sentait plus rien. Nelson haletait en courant entre les arbres, à la recherche de Lucy. Les relents âcres qui l'envahirent pendant sa fuite émanaient d'un coyote.

Parfois, des bruits du monde réel s'insinuaient dans les songes humains, les tirant de leur sommeil. Le bruit d'un réveil, le crépitement d'une vitre brisée devenaient des composantes de nos rêves, mais avec une signification totalement différente. Dans le cauchemar de Nelson, la puanteur du coyote ne lui évoquait pas une bête sauvage réelle.

Mais lorsqu'il se réveilla en sursaut, son cœur s'emballa en distinguant, depuis l'allée où il dormait avec Lucy, la silhouette maigre et anguleuse d'un coyote qui le fixait de son regard bleu et froid. L'espace d'une seconde, il crut voir un fantôme, une apparition dans la nuit brumeuse. Le temps que sa vue s'ajuste à la pénombre, le coyote n'était qu'un esprit diabolique venu des profondeurs de sa conscience pour le terroriser. Les deux animaux se jaugèrent un court instant, qui leur parut une éternité. Cette créature faisait-elle partie de son cauchemar ? Mais quand le coyote bondit sur Nelson et Lucy, le doute ne fut plus permis : l'animal était bel et bien réel.

Trois rêves humains sur quatre étaient, paraît-il, des mauvais rêves, mais seuls quelques-uns pouvaient être qualifiés de cauchemars. Chez les chiens, c'était la même chose. Quand l'animal sauvage bondit sur Nelson, Lucy, qui dormait tout contre lui, faisait un beau rêve. Le nez de la petite chienne frétilla, mais son cerveau nia la présence du danger. Dans son songe, elle se trouvait dans une magnifique cuisine aux effluves délicieux, entourée de son Grand Amour et sa famille.

Brusquement, elle fut arrachée à sa rêverie, non pas par la pestilence du coyote, mais par l'adrénaline de Nelson. Jamais elle n'en avait reniflé une telle quantité sur son compagnon. Encore à moitié endormie, elle découvrit soudain la présence de l'ennemi à quelques pas d'elle. L'animal sauvage se précipita sur Nelson, qui roula contre le mur. Il voulut le mordre, mais le manqua. En cette nuit glaciale, nappée de brouillard, les chiens ne voyaient pas à plus de deux ou trois mètres devant eux. Pourtant, ils détalèrent à toute allure.

Habitué à se mouvoir dans l'obscurité, le coyote n'était pas gêné par la piètre visibilité. Grâce à son odorat extrêmement développé, l'odeur des deux chiens était tel un phare brillant dans la brume. En fait, il connaissait intimement les fragrances de ces deux animaux. Depuis des mois, il les traquait dans la brise nocturne. À présent qu'elles pénétraient ses narines, il salivait abondamment.

Dans leur course folle, l'adrénaline conféra aux fuyards une force peu commune, qu'ils n'auraient jamais soupçonnée. Malgré la panique, ils sentaient l'adrénaline l'un de l'autre, décuplant leurs forces, telle une meute unie par la peur. Ainsi, ils réussirent à maintenir la créature vicieuse à quelques mètres d'eux, alors qu'ils filaient dans les ruelles désertes. Mais le coyote était un maître dans l'art de traquer ses proies et avait développé une aptitude extraordinaire à deviner les mouvements de son adversaire. Après avoir pourchassé frénétiquement les deux chiens dans toute la ville pendant environ dix minutes, il sentit le moment opportun et bondit dans les airs, pour atterrir droit sur Lucy. Le petit corps de la chienne fut rudement plaqué sur le trottoir. Pris de panique, Nelson réagit aussitôt et se rua sur le coyote pour défendre sa compagne. Le courageux petit chien mordit la patte arrière de la bête. Mais le coyote, excité par le goût de sa proie, sentit à peine la morsure de Nelson, et planta ses crocs dans le cou de Lucy. La petite chienne poussa un hurlement déchirant. Nelson se campa devant son adversaire d'un air de défi. Au même moment, un homme habitant une maison voisine alluma la lumière et ouvrit la fenêtre pour leur crier de cesser ce vacarme.

L'homme n'était pas une menace immédiate pour le coyote, mais la bête sauvage avait appris que disparaître le plus vite possible était la meilleure stratégie pour éviter le courroux des humains. Parfois, quand il se retrouvait nez à nez avec un enfant, il pouvait être tenté de le traiter comme un morceau de viande, mais les humains plus âgés représentaient un grand danger, avec leurs armes, leurs lampes et leurs fourches. Un moment, l'animal hésita. Il observa le sang qui s'écoulait lentement de la blessure de Lucy. Son cœur battait à la pensée du goût de cette chair tendre. Et s'il la prenait dans sa gueule et l'emportait loin d'ici ? Mais l'autre petit chien aboyait comme un forcené, ce qui l'empêcherait de s'évanouir silencieusement dans le brouillard. Le coyote adorait chasser pour se nourrir. Il ne vivait que pour cette exécution finale, ce moment où il achevait sa proie et arrachait le premier lambeau de chair de sa victime. Mais il savait aussi combien ces instants étaient rares. Sa propre survie comptait avant tout. Ainsi, le coyote se fondit dans l'obscurité, seul.

Nelson lécha Lucy, haletant d'inquiétude. Elle geignait à fendre l'âme, comme un chiot qui aurait perdu sa mère. L'homme dans la maison distinguait les silhouettes des chiens sur le trottoir et entendait les gémissements de Lucy, mais son lit douillet l'attendait et il ne voulait pas s'encombrer de deux chiens errants. Au moins, ces glapissements stridents s'étaient tus. Sans doute un coyote.

Ou bien un loup. Heureusement, il était parti. Ses enfants étaient sains et saufs. L'homme ferma la fenêtre, éteignit les lumières et retourna se coucher. Les humains des villes d'Amérique ignoraient généralement que des coyotes se coulaient le long de leurs maisons la nuit, agresseurs silencieux qui profitaient de leur sommeil. Il valait mieux ne pas y penser.

Debout près de Lucy, Nelson renifla le sang qui gouttait sur le trottoir. Il tenta de stopper l'hémorragie en léchant sa plaie avidement. Quand les louveteaux se mordaient accidentellement, comme c'était souvent le cas, leur mère léchait leurs blessures. La salive des loups était un onguent naturel capable d'arrêter les saignements et de tuer les bactéries. C'est ainsi que Nelson, sans le savoir, maintint Lucy en vie. Il lécha ses meurtrissures pendant des heures, puis des jours, l'empêchant de se vider de son sang.

19.

Après l'attaque du coyote, Lucy s'accrocha courageusement. La chaleur de Nelson la gardait en vie la nuit et les jours suivants, il déposa des morceaux de nourriture près d'elle, car elle avait beaucoup de difficultés à se mouvoir. Le lendemain de son agression, la petite chienne avait rassemblé ses dernières forces pour se traîner jusqu'à leur couche, près de la bouche de chauffage, laissant derrière elle une traînée de sang. Cette nuit-là, alors que Nelson veillait sur le sommeil de sa compagne, il perçut la présence du coyote tout proche et l'entendit grogner dans le brouillard. Il réveilla Lucy et l'entraîna dans l'allée du restaurant, près des poubelles. Ce lieu confiné semblait plus sûr, même si Nelson resta éveillé toute la nuit, à monter la garde.

Le lendemain, ils s'installèrent près d'un petit centre commercial, à quelques rues de là, où le conduit d'aération d'une laverie automatique soufflait de l'air chaud dans une ruelle tranquille.

Même si l'endroit paraissait sans danger, Nelson était sans cesse réveillé par l'odeur du coyote, réelle ou imaginaire. Lucy reniflait elle aussi par moments la bête sauvage, et son corps se mettait alors à trembler d'angoisse. Nelson s'asseyait calmement et scrutait les alentours, tous ses sens en alerte, tout en léchant doucement Lucy pour la rassurer. En vérité, le coyote n'avait pas oublié le goût du sang de la chienne et en voulait plus.

Lucy était dépendante de son partenaire pour se nourrir. Le petit chien faisait plusieurs allers-retours de leur nouveau repaire aux poubelles du restaurant pour trouver de quoi manger, puis il créa un petit jeu pour égayer leurs repas. Il déposait un morceau de poulet ou de bœuf à quelques pas de son amie et grognait doucement, comme s'il protégeait son butin et la défiait de le lui prendre. Bien sûr, quand elle s'approchait pour s'en emparer, il ne lui opposait aucune résistance.

Les pensées de Nelson étaient constituées d'un kaléidoscope d'odeurs et d'émotions tissé dans son cerveau canin dans un langage unique. Ainsi, il n'articulerait jamais, comme un humain, le sentiment de perte qu'il éprouva à l'encontre de sa compagne. Car alors que le souvenir de l'agression du coyote se dissipait, Lucy n'était plus la même. Leurs jeux étaient moins intenses, la petite chienne ayant perdu sa fougue et son entrain d'antan. Sa tristesse affectait énormément Nelson, qui n'avait plus l'esprit en paix.

Souvent, la nuit, il faisait des rêves troublants à propos de Katey. Enveloppé des fragrances de sa bien-aimée, de sa maison et de son piano, il vivait une sorte d'extase dans son sommeil, comme si son Grand Amour l'appelait à lui. Il jouait inlassablement avec elle et son horrible rat en plastique, ensorcelé par son parfum unique. Son visage tout près du sien lui souriait, ses yeux bruns brillaient, son sourire étincelait. Soudain, le jouet en plastique prenait vie et se tortillait dans sa gueule. Nelson était incapable de le maintenir entre ses mâchoires. Une fois libre, le rat voulait mordre Katey. Puis le rongeur se muait en un puissant coyote, qui se précipitait sur la jeune femme et la plaquait au sol. À son réveil, Nelson tremblait de tout son être. Son Grand Amour était si loin, si impossible à atteindre, malgré son désir désespéré de la retrouver. Un trou s'était formé dans son cœur de chien, un gouffre noir et profond. Il menaçait d'assombrir sa nature curieuse, joueuse et noble. Il était devenu une part de son être, un trait nouveau et persistant de son caractère.

Nelson et Lucy ne feraient plus l'amour ensemble. La chienne eut ses chaleurs quelques mois après l'agression, enflammant l'appétit sexuel de son compagnon. Mais quand il voulut la chevaucher, elle le repoussa d'un claquement de mâchoires sec. Son corps n'était pas prêt pour le sexe, après la morsure du coyote. Il était virtuellement impossible à Nelson de résister aux émanations bouleversantes de sa compagne en chaleur, mais celle-ci refusait obstinément tout accouplement.

Pendant quelques semaines après l'attaque du coyote, les chiens cessèrent leurs visites quotidiennes sur leur espace sablonneux. Les deux complices manquaient à Herbert Jones. Le premier jour de leur absence, le vieil homme leur avait apporté des morceaux de pancakes au sirop d'érable dans un sachet plastique. Il les attendit une demi-heure, de sorte que tous les habitants qui avaient réglé leur pause-déjeuner sur sa venue en ville virent leur emploi du temps déboussolé. Attristé par leur absence, Herbert continua néanmoins à emporter avec lui de la nourriture pendant une semaine, espérant chaque fois les voir réapparaître. En vain. Le vieil homme commença alors à craindre pour leur vie. Les vagabonds avaient peut-être été renversés par une voiture, ou pire. Herbert savait que des coyotes erraient dans les bois alentour et qu'ils mangeaient parfois de petits animaux. Il pria pour que ses protégés aient échappé à leurs crocs. Ils ne constituaient qu'une infime partie de la vie d'Herbert, quelques minutes seulement de son quotidien. Mais la mort de sa femme l'avait rendu extrêmement sensible à toute perte et la nuit suivante, il ne parvint pas à dormir, tourmenté par le sort des deux petits chiens. Peut-être aurait-il dû les recueillir chez lui. Sa femme l'aurait sans doute encouragé dans cette voie, après tout.

Quelques mois plus tard, il fut enchanté de voir les chiens réapparaître, aussi mystérieusement qu'ils s'étaient envolés. Le vieil homme comprit tout de suite, en les voyant allongés sur le sable, qu'ils n'étaient plus tout à fait les mêmes. L'étincelle de leur regard s'était en quelque sorte atténuée. Une croûte épaisse s'était formée à l'endroit de la morsure de Lucy et une grosse touffe de poils avait poussé dessus, masquant la peau endommagée. Herbert ne pouvait donc deviner ce qui s'était réellement produit, mais il se doutait que leur disparition temporaire faisait suite à un drame. Herbert rentra chez lui, prit une belle portion de purée de pommes de terre en sauce dans son réfrigérateur, la réchauffa, puis la rapporta aux deux compères dans des bols. Les chiens dégustèrent lentement leur pitance, puis léchèrent les mains de leur bienfaiteur pour en réclamer davantage. Herbert était enchanté de leur retour.

Ainsi, la vie retrouva une certaine normalité, pour Herbert comme pour les deux compagnons. En fait, le vieil homme tenta de les attirer chez lui plusieurs fois, déterminé à leur offrir une place véritable dans son existence. Ils jouiraient d'un foyer décent, et se coucheraient au pied de son lit, comme les chiens de son enfance. Surtout, ils seraient à l'abri des coyotes. Mais cette fois, ce furent les deux chiens qui résistèrent. Herbert percevait leur appréhension. Ils acceptaient ses friandises et ses marques d'affection, mais dès que le vieil homme les invitait à le suivre, ils s'éloignaient. Le chien au drôle de regard le fixait alors, comme pour le défier.

Quelque chose dans le cœur de Nelson lui soufflait de ne pas trop s'attacher à cet homme. Cette fameuse odeur délétère le troublait. Certes, il appréciait leur repas journalier et lui devait une certaine loyauté. Or la loyauté, dans l'âme de Nelson, était un sentiment extrêmement puissant.

La maladie qui rongeait le vieil homme n'était pas comparable à celle de sa femme. Ce n'était pas vraiment une maladie. Simplement un épaississement du sang, symptomatique du vieillissement. Le sang était pompé dans les veines d'Herbert depuis quatre-vingt-cinq ans, une très longue période. Mais la pompe de son cœur s'était affaiblie avec les années.

Un jour, alors qu'Herbert se trouvait auprès des deux complices, le sang dans son cerveau se coagula et forma un petit caillot, ralentissant l'irrigation du reste du cerveau. Il caressait les chiens quand l'attaque se produisit. Au début, Nelson ne comprit pas ce qui se passait. Le corps du vieil homme dégageait des émanations de panique, puis s'effondra sur le sol. Le sable doux amortit sa chute et l'homme demeura sur le dos, immobile, les yeux grands ouverts sur le ciel du Montana qu'il aimait tant. Lucy et Nelson aboyèrent après lui, lui sautèrent dessus, le léchèrent pour essayer de le ramener à la vie, en vain. Nelson savait qu'il faisait face à une urgence. Son cerveau, son odorat le lui criaient. Il avait besoin d'aide, de l'aide des hommes.

Nelson et Lucy avaient appris à se tenir à l'écart des routes, sauf en cas de nécessité absolue. Ces grosses créatures nauséabondes, les voitures, étaient dangereuses. Mais à cet instant précis, Nelson devait aller chercher du secours. Pendant que Lucy attendait près du vieil homme, tentant de le réanimer, Nelson se campa avec fierté au milieu de la route et aboya férocement pour attirer l'attention.

Quelques voitures passèrent, ignorant le chien, manquant même le renverser. D'habitude, il s'enfuyait à toutes jambes quand un véhicule le frôlait d'aussi près. Mais l'adrénaline courait dans ses veines, et l'odeur du vieil homme mourant planait dans l'atmosphère, aussi se mit-il à aboyer de plus belle.

Finalement, une voiture conduite par deux jeunes ralentit en voyant le chien au milieu de la chaussée et s'arrêta à sa hauteur. Nelson jappa encore plus fort quand ils baissèrent leurs vitres. Le chien s'éloigna alors en direction du malade et le couple aperçut le vieil homme étendu sur le sol, respirant à peine.

Mais en reculant, Nelson ne vit pas les trois motos qui arrivaient à vive allure dans l'autre sens. Les motards allaient vite sur la route sinueuse, trop vite pour voir à temps le petit chien au milieu de la route. L'un des motards appuya violemment sur les freins quand il comprit qu'il allait le percuter. Trop tard. Le conducteur eut beau braquer le guidon, la lourde moto frappa de plein fouet le corps du petit animal. Entièrement focalisé sur le sauvetage du vieil homme, Nelson ne vit rien venir. Avant de comprendre ce qui se passait, il fut projeté sur le côté et avalé par le gouffre noir à l'intérieur de son être, dans les ténèbres.

Lucy fut totalement abasourdie par les événements dont elle venait d'être témoin. Au début, elle jappa à tout va. Mais dès l'arrivée des ambulances et de la police, elle détala dans les bois. Mais elle renifla la présence de coyotes dans les pins à la périphérie de la ville, aussi décida-t-elle de retourner en ville, et de dormir près de la laverie automatique, comme à son habitude. Sans Nelson, la nuit fut particulièrement froide. Elle se réveillait sans cesse, espérant le trouver étendu près d'elle. Le lendemain, elle partit à sa recherche et gémissait douloureusement chaque fois qu'elle croyait percevoir son odeur et se rendait compte que ce n'était qu'une lointaine réminiscence. Leur repaire sablonneux était désert, le vieil homme avait disparu. De nouveau, elle dormit seule près de la laverie. Avant l'aube, elle crut distinguer le feulement d'un coyote non loin de là. Il était temps de quitter cet endroit, lui soufflait une petite voix dans sa tête, dans un langage inarticulé. Au lever du soleil, elle se résolut à quitter la ville et ne revit plus jamais Nelson.

Sa cicatrice la hanterait durant toute son existence. Parfois, la plaie ancienne la ferait souffrir, surtout par grand froid. Son esprit vaillant ne se remettrait jamais vraiment de l'agression. Plus tard, quand elle sillonnerait le Montana, elle humerait la bête sauvage dans l'air, invoquant dans sa mémoire cette expérience qui lui avait fait frôler la mort.

III.

La perte

20.

Aux urgences de la clinique, le vétérinaire qui prit en charge Nelson était un homme bon. Dougal Evans avait grandi dans une ferme de l'Illinois et hérité son amour des animaux de son père. Sa famille élevait du bétail, et plusieurs autres espèces évoluaient autour de la ferme – des poulets et des chèvres, des moutons et des cochons, un chat amateur de souris et plusieurs chiens, des border collies. Depuis son plus jeune âge, Dougal assistait à la naissance des petits, et nourrissait les chiots comme les porcelets au biberon jusqu'à l'âge adulte. Chaque jour, il donnait à manger à toute une flopée d'animaux et dormait parfois avec certains d'entre eux dans son lit. Ses études secondaires terminées, la question du choix de sa carrière ne se posa même pas. Il étudia dans l'une des plus prestigieuses universités vétérinaires de la Californie, US Davis, et devint l'un de leurs meilleurs étudiants. Après son diplôme, il travailla dans une équipe de nuit aux urgences d'un hôpital pour animaux de Los Angeles. Là, il comprit combien l'existence des animaux pouvait être misérable, en particulier celle des chiens tant chéris que terriblement maltraités par leurs maîtres humains. Au bout de quelques années, il se lassa de la grande ville et voulut retrouver un environnement plus proche de celui où il avait grandi. De nature économe, il avait mis pas mal d'argent de côté au fil des ans. Il dénicha une petite clinique vétérinaire à vendre dans le Montana et versa un acompte.

En vingt ans, Dougal s'était bâti une solide réputation. Bien des animaux avaient franchi les portes de son petit établissement, et la plupart en étaient ressortis en bonne santé. Son travail était satisfaisant, douloureux aussi parfois. Bien sûr, il ne pouvait pas sauver tous les animaux qui venaient à lui. Mais ce qui le bouleversait le plus, c'était toutes ces bêtes qui, une fois guéries, n'auraient aucun foyer pour les accueillir. Son cœur se brisait chaque fois qu'une personne bien-pensante lui amenait un animal abandonné. Où irait-il ensuite ? Oui, la ville comptait plusieurs refuges. Les plus chanceux trouveraient une maison. Les autres, au bout d'une semaine, seraient emmenés à la fourrière et recevraient une injection mortelle. Chaque fois qu'un chien errant passait les portes de l'hôpital, le Dr Evans était tenté de le ramener chez lui. Au début de sa carrière, cela s'était produit plusieurs fois. Mais sa femme avait commencé à se plaindre. Trois chiens, cinq chats et quatre oiseaux, c'était bien plus d'animaux qu'ils ne pouvaient en gérer ! Ainsi, Dougal puisait désormais dans son cœur le courage d'envoyer un chien errant guéri dans un refuge. En lui disant au revoir, il le caressait un peu plus longtemps que ses autres protégés, puis, même s'il n'était pas croyant, faisait une prière pour qu'il trouve un foyer.

Dougal voyait de la beauté dans chacun de ses patients. Cela dit, il était plus particulièrement attaché aux chiens, sans doute à cause de leur affinité avec les humains. Le médecin avait la même affection pour tous les chiens, qu'ils soient calmes, adorables, hargneux ou turbulents. Son inclination pour Nelson n'avait donc rien d'extraordinaire. Néanmoins, elle se renforça considérablement durant le séjour du petit chien dans sa clinique.

Des vétérinaires auraient sûrement suggéré de piquer Nelson, le jour où le jeune couple apporta le malheureux à l'hôpital. Dougal envisagea sérieusement cette solution en constatant la gravité de ses blessures. Mais les deux jeunes lui racontèrent que Nelson avait sauvé la vie d'un vieil homme. C'était parce que le petit chien s'était planté au milieu de la route qu'ils s'étaient arrêtés et avaient appelé les secours. L'ambulance était arrivée à temps. À présent, le vieillard était aux soins intensifs, mais sa vie n'était plus en danger. Pouvait-on laisser mourir ce courageux animal qui avait sauvé une vie humaine ?

Nelson était encore inconscient quand le médecin commença à l'examiner. La jeune femme l'avait enveloppé dans une vieille couverture, dégotée dans le coffre de sa voiture. L'impact de la moto avait été violent, mais par chance, seule la patte arrière gauche de l'animal était touchée. Le reste de son corps avait été épargné. Les dégâts causés à sa patte paraissaient néanmoins irréparables. Les os étaient brisés, broyés et les muscles déchirés. Dougal étudia attentivement le membre, sous le regard anxieux du jeune couple. Inutile de faire une radio pour confirmer son diagnostic. Le médecin annonça aux jeunes gens que la vie du chien pouvait être sauvée, à condition de l'amputer.

21.

Nelson se réveilla avec une douleur fulgurante au niveau de la patte arrière. Il était complètement égaré. Déconcerté par l'homme à la blouse blanche et les deux jeunes qui se tenaient près de lui. Troublé par cet endroit inconnu, même si les bouffées de produits chimiques lui rappelaient vaguement les cliniques vétérinaires où il était allé plusieurs années auparavant. Son égarement fut de courte durée, étant donné la violente souffrance que sa blessure communiquait à son système nerveux. Par réflexe, il tenta de mordre le médecin. Surpris par la réaction du chien, Dougal réussit néanmoins à écarter son bras et éviter les crocs de justesse. S'emparant d'une seringue, il lui injecta un anesthésique dans l'arrière-train. Nelson tomba aussitôt dans un profond sommeil.

Les deux jeunes auraient bien patienté jusqu'à la fin de l'opération de Nelson, mais ils devaient se remettre en route, car ils étaient attendus au mariage de leur frère dans le Wisconsin trois jours plus tard. Ils promirent d'appeler dès leur arrivée à Madison pour savoir si le chien avait survécu à l'opération.

Le médecin pratiqua l'opération avec l'aide de ses deux assistants en un temps record. Quarante-cinq minutes après son entrée dans le bloc opératoire, Nelson était tiré d'affaire. Sa patte avait été amputée et sa plaie dûment nettoyée et bandée.

Alors que l'anesthésique se dissipait et que sa conscience revenait peu à peu, le petit chien ne remarqua pas son membre amputé. Encore sous l'effet des sédatifs, il était incapable de se lever. Il huma l'air. Où était Lucy ? Sa fragrance n'était nulle part. Trois autres chiens et un chat se trouvaient dans la pièce, installés dans des cages confortables. Tous dormaient. Il sentait l'odeur du désinfectant caractéristique des cliniques vétérinaires. Tout près, un infirmier travaillait à une table. Nelson laissa échapper un faible gémissement et l'infirmier, un jeune homme récemment débarqué du Mexique du nom de Juan, leva les yeux. Il s'approcha, ouvrit la cage et caressa doucement le petit chien. Nelson lui lécha les mains. L'infirmier apporta une coupelle d'eau au chien, qui parvint à en laper quelques gorgées. Il déposa ensuite un petit bol de nourriture hachée dans sa cage. Elle n'avait pas l'arôme de la cuisine du restaurant, loin de là. Plus tard dans la journée, il était si affamé qu'il se força à avaler les morceaux que l'infirmier lui présenta dans sa main.

La journée passa comme dans un brouillard. Nelson dormit la majorité du temps. Par moments, le bruit de l'ouverture d'une porte le réveillait et son cœur s'emballait à l'idée de voir apparaître Lucy. En constatant que c'était seulement l'infirmier, il geignait faiblement. Peut-être que s'il aboyait, Lucy viendrait le chercher ? Mais il n'avait pas la force d'aboyer. Il n'avait toujours pas enregistré l'absence de l'une de ses pattes et fut surpris de sentir un filet d'urine chaude s'écouler dans la cage sous lui. L'infirmier nettoya rapidement les dégâts.

À son réveil, le lendemain matin, Nelson gémit, accablé de douleur. Là où se trouvait autrefois sa patte gauche, il éprouvait un élancement sourd et douloureux. L'infirmière de jour, une jeune femme du nom de Suzi, se précipita pour lui administrer des antidouleurs. Affamé, Nelson engouffra la nourriture qu'elle lui présenta et but avidement toute l'eau de la coupelle.

Nelson apprit à aimer Juan et Suzi. Le Dr Evans se faisait un devoir d'employer des gens qui appréciaient vraiment les animaux et s'enorgueillissait de la qualité des soins prodigués dans son petit établissement. Le lendemain de son opération, Nelson passa la journée à penser à Lucy. Il surveillait les autres cages sans relâche, espérant la voir se matérialiser dans l'une d'elles. Mais il ne reniflait nulle trace de sa présence dans l'atmosphère. Ces dernières années, sa vie était si étroitement liée à celle de la petite chienne, que son absence lui était bien plus cruelle que l'amputation de l'un de ses membres.

À mesure que le choc de l'accident et les effets des anesthésiques se dissipaient, Nelson sentait qu'il lui manquait quelque chose. La première fois qu'il voulut se mettre debout et s'ébrouer, comme à son habitude, il s'effondra. Quelle étrange sensation que de n'avoir que trois pattes ! Juan vit le malheureux animal se relever péniblement, et retomber aussitôt. Il le sortit de sa cage et s'assit pour jouer avec lui, tout en l'encourageant à se lever de nouveau.

Nelson tombait sans cesse. Quand Juan le maintenait debout artificiellement, le chien levait sur l'homme un regard interrogateur et sa queue se dressait en remuant faiblement. Juan ne pouvait s'empêcher de sourire. Mais le chien trébuchait de nouveau.

Jamais Nelson ne pourrait oublier Katey, Thatcher, et Lucy. Leurs fragrances étaient gravées à jamais dans sa mémoire et lui revenaient à l'esprit à des moments inattendus, parfois invoquées par une odeur ou une émotion spécifique. Chaque fois qu'elles se rappelaient à lui, il était submergé de tristesse à l'idée qu'il ne retrouverait jamais ces êtres chers. Mais la vie l'arrachait à ces rêveries olfactives et il oubliait un temps sa sensation de perte. Au début, les fragrances de ses amis perdus le hantaient sans cesse. Mais les années passant, elles se diluèrent progressivement, jusqu'à n'être plus qu'une idée fugitive, et non plus un souvenir.

La perte de sa jambe était d'une toute autre nature. Elle handicapait le moindre de ses mouvements, de sorte que durant son premier mois à la clinique du Dr Evans, elle prit le pas sur sa vie au quotidien. Au début, le chien était tellement éberlué par ses récentes mésaventures qu'il ne les crut pas entièrement réelles. Mais quand l'effet des anesthésiques s'atténua, remplacé par d'autres médicaments, l'engourdissement douloureux à l'endroit de sa patte amputée se mua en une sensation plus intense, qui ne le quittait plus. Désormais, le chien était conscient de son membre absent à chaque seconde de la journée.

Depuis des années, Nelson se débrouillait seul et même quand il vivait avec Katey, il avait toujours fait preuve d'une énergie et d'une curiosité extraordinaires. Soudain, son incapacité à marcher, à se mouvoir à sa guise, était une insulte à la nature du petit chien. Un profond abattement s'abattit sur lui durant les premiers temps. Docile, soumis, il restait allongé la majeure partie de la journée. Il ne grignotait que quelques bouchées et buvait peu, juste de quoi rester en vie. Seule la pensée de Lucy le distrayait et l'empêchait de sombrer entièrement dans la dépression. Juan avait remarqué que Nelson levait les yeux chaque fois que la porte s'ouvrait, comme s'il attendait quelqu'un en particulier. L'infirmier aurait aimé savoir qui étaient ses anciens propriétaires.

Chaque jour, pendant une heure, le vétérinaire sortait Nelson de sa cage avec l'infirmier de garde et l'encourageait à remarcher, ou du moins à trouver son équilibre sur trois pattes. Dougal était un homme très occupé, qui ne serait pas payé pour tout le temps consacré à ce patient. Mais tant que sa petite clinique gagnait suffisamment d'argent pour subvenir aux besoins de sa famille, tout animal qui pénétrait dans ses murs recevrait les meilleurs soins, et si possible en ressortirait en bonne santé. Le vétérinaire savait qu'au bout du compte, c'était au chien de décider s'il voulait marcher ou non, malgré sa patte manquante. Il avait eu affaire à toutes sortes d'animaux affaiblis, handicapés, amoindris, mais au-delà de la médecine, certains avaient une féroce volonté de survivre, alors que d'autres perdaient le goût de vivre à tout jamais. Quelques jours après son accident, Dougal ne savait pas encore à quelle catégorie appartenait Nelson.

Tandis que le vétérinaire et les infirmières se démenaient pour rééduquer Nelson, la frustration du chien ne faisait que croître. En dépit des ténèbres qui menaçaient par moments de l'engloutir, son désir de remarcher tenait à une raison simple. Retrouver Lucy. La petite chienne avait besoin de lui. D'être protégée du coyote. Et qui sait, s'il marchait de nouveau, il retrouverait peut-être son Grand Amour. Dans son cœur de chien, la volonté de tenir fermement sur trois pattes était alimentée par une résolution inébranlable.

Bientôt, l'étincelle vacillante que le vétérinaire voyait briller dans le regard de l'animal s'amplifia. Jour après jour, Nelson trébuchait toujours, et pleurnichait parfois, quand il peinait à se relever. Mais sa magnifique queue remuait, ce qui semblait indiquer que l'animal commençait à trouver une certaine assurance sur ses trois pattes. Puis le chien commença à positionner sa queue légèrement de côté, comme pour contrebalancer sa patte manquante.

Par une belle journée, environ trois semaines après l'accident, Nelson réussit à se tenir debout sans soutien. Son immense queue touffue se dressait de guingois, lui permettant de garder l'équilibre. Dougal et Juan se félicitèrent et Nelson sentit combien ses bienfaiteurs étaient heureux de sa réussite. Le chien resta un moment immobile pour s'imprégner de sa nouvelle position corporelle. Sa blessure le faisait encore souffrir, mais son cœur était tout en joie.

Même s'il tombait souvent, Nelson se sentait de plus en plus à l'aise dans sa nouvelle posture. Le corps légèrement de travers et la queue penchée d'un côté. Il lui fallut deux semaines supplémentaires pour réussir à faire quelques pas maladroits. Au début, c'étaient des petits sauts, mais avec un peu de pratique, l'animal réussit à se déplacer assez rapidement. Dougal, Juan et Suzi étaient estomaqués par ses progrès. Bientôt, le chien se déplaça avec une certaine aisance sur trois pattes, agitant la queue de manière à s'équilibrer, à sa façon unique. Sa queue était véritablement devenue une quatrième patte. Alors que ses pattes avant progressaient normalement, il faisait un petit bond avec sa patte arrière, sans cesser de remuer la queue. Nelson ne repensa pas à l'époque où Emil avait failli le priver de ce merveilleux attribut. Pourtant, jamais il ne s'en serait aussi bien sorti sans ce précieux appendice.

Le désir de marcher normalement ne fit que croître avec le temps. Tous les matins, au réveil, il se levait aussitôt et guettait l'infirmier pour savoir quand il pourrait enfin sortir et s'exercer à sa nouvelle technique de marche. Juan et Suzi s'efforçaient de le promener plusieurs fois par jour. Cet animal était unique avec ses trois pattes, son bâton de commandement et ses yeux extraordinaires. Contre toute attente, sa démarche étrange lui conférait une dignité et une grâce sans pareilles. Parfois, il trébuchait et se sentait mal à l'aise, quand il attirait sur lui tous les regards, certains amusés, d'autres moqueurs.

Mais il était doux de respirer de nouveau le parfum de l'herbe sur les trottoirs, les senteurs des pins et des montagnes au loin. Il chercha aussi l'odeur de Lucy dans la brise, en vain.

Juan et Suzi étaient cousins. Tous deux se demandèrent s'ils ne pouvaient pas trouver une maison au petit chien à trois pattes parmi les membres de leur famille installés dans la région. Ils avaient bien pensé à le prendre chez eux, mais c'était irréalisable. Juan habitait dans un studio avec sa femme et deux jeunes enfants. Suzi vivait avec sa grand-mère âgée dans des conditions similaires. Il leur était impossible de prendre soin d'un chien.

Ils proposèrent à leurs proches de recueillir Nelson, mais tous rirent en apprenant qu'il était estropié. Qui voudrait d'un animal à trois pattes ? Comment attraperait-il les voleurs ? Juan se mit en colère contre son oncle, perpétuel imitateur, qui grima la démarche claudicante d'un chien à trois pattes imaginaire, sous les rires de toute la famille. Apparemment, seuls Dougal, Juan et Suzi voyaient de la beauté chez Nelson. Leurs sentiments ne tenaient pas seulement au fait qu'ils avaient aidé le chien à remarcher. Il y avait dans le cœur du petit chien une grandeur d'âme, une noblesse, qui les élevaient.

Les fonctions corporelles de Nelson avaient également changé. Il dut apprendre à uriner comme une femelle, en s'accroupissant, et ne pouvait plus marquer son territoire simplement en levant la patte, comme autrefois. Au début, uriner était difficile, et le liquide chaud coula une ou deux fois sur ses pattes. Mais bientôt, Nelson n'y pensa même plus.

La nuit, le chien faisait des rêves dérangeants, imaginant sans cesse Lucy et Katey dans des situations dangereuses. Il devait à tout prix les sauver du coyote, de Don, des hommes armés de la décharge. Parfois, il réussissait, d'autres fois il échouait. Dans ses cauchemars, il n'était pas handicapé par ses trois pattes. Au contraire, il était puissant et rapide, même contre des ennemis difficiles à vaincre. Mais l'angoisse de savoir Lucy et Katey en danger perpétuel ne le quittait pas de la journée. Logée dans un recoin de son esprit, elle lui donnait un sentiment d'impuissance et de malaise. Parfois, Dougal observait le chien pendant son sommeil, qui inhalait par bouffées saccadées, et se demandait quelle était son histoire. À l'évidence, c'était une histoire complexe.

Au bout de trois mois, il était évident que le jeune chien était pratiquement guéri. Il pouvait se déplacer à sa guise, peut-être pas comme autrefois, mais la perte de son membre n'en faisait pas un infirme. Nelson s'était accoutumé à sa petite routine à la clinique – les repas et promenades quotidiennes. S'il ne considérait pas vraiment Dougal, Juan et Suzi comme des membres de sa famille, à cause de Katey, Lucy et Thatcher, il les aimait sincèrement et les avait intégrés dans son existence.

Le Dr Evans ne discuta pas beaucoup avec Juan et Suzi de la décision imminente qu'il devait prendre. C'était à lui de statuer si Nelson était prêt à quitter la clinique. Plusieurs fois, il repoussa l'échéance en se persuadant que l'animal devait encore faire des progrès, même s'il était évident qu'il avait atteint un palier dans sa convalescence. Quand ils pensaient que tel ou tel animal était en assez bonne santé pour quitter l'hôpital, Juan et Suzi faisaient généralement un commentaire. Pourtant, concernant Nelson, ils ne pipèrent mot. Personne ne voulait affronter l'idée du départ du petit chien.

Dougal envisagea même de garder le chien avec lui à la clinique, en tant qu'invité permanent. Sa présence était devenue rassurante pour tout le monde. Le panache de sa queue, l'étincelle curieuse de son regard, l'incongruité de sa démarche… Le praticien se réjouissait de voir Nelson tous les matins en arrivant à son travail.

Mais le vétérinaire savait aussi qu'il était injuste de le garder éternellement dans son établissement. Le but de sa clinque était de soigner des animaux, non de leur fournir un abri. D'autres bénéficieraient de l'espace libéré par le départ du petit chien. Dougal n'avait guère de temps à consacrer à chacun de ses patients, et tous les soins dévolus à Nelson – le nourrir, lui parler, le promener – étaient autant de minutes et d'énergie en moins pour d'autres, qui en avaient sans doute plus besoin.

Tard dans la nuit, éveillé dans son lit, le Dr Evans comprit qu'il était temps d'envoyer l'animal à trois pattes dans un refuge, où il deviendrait un candidat à l'adoption.

22.

Nelson sentit le vent du changement. En six années d'existence, il était devenu extrêmement sensible à ces signes. D'abord se produisaient d'infimes et imperceptibles ajustements dans le comportement de ses proches. Souvent, cela affectait leur odeur. Nelson ne connaissait que trop bien les odeurs de colère refoulée, d'angoisse sourde et de tristesse latente, ces effluves qui affleuraient à la surface de l'existence routinière et annonçaient des changements soudains et imminents. Comme le mécontentement de Don, qui l'avait conduit un jour à oublier de fermer le portail de leur maison d'Albany. Ou le chagrin de Thatcher, ses larmes silencieuses, qui avait amené le routier à se battre dans un bar, bouleversant la vie de Nelson pour toujours. Sans oublier la mort rampant dans le corps d'Herbert Jones, qui avait fini par coûter un membre à Nelson.

Maintenant, les poils de ses trois pattes se hérissaient quand il sentait les prémisses des mutations à venir dans l'atmosphère du petit hôpital. Une vague anxiété planait entre Dougal, Juan et Suzi. Ils étaient ouvertement plus affectueux que d'habitude, passaient plus de temps à le caresser, le cajoler, le flatter. Mais leur affection masquait un sentiment délétère. De l'angoisse. Cela, le chien ne l'avait pas encore compris.

Un soir, après sa journée de travail, Juan emmena Nelson avec lui dans son petit appartement. L'espace était en désordre, mais un arôme agréable de plat mijoté donna aussitôt au chien la sensation d'être chez lui. Il joua tranquillement avec les deux jeunes enfants de Juan, un garçon et une fille. L'infirmier avait rapporté des jouets en plastique pour chiens de la clinique. Les enfants étaient enchantés de s'amuser avec le chien. L'animal n'était pas aussi agile qu'avant son accident, mais il aimait toujours prendre les jouets des mains des enfants ou les attraper au vol quand ceux-ci s'amusaient à les lancer à travers la pièce.

Juan et sa femme se mirent à se disputer. À l'arrivée de Nelson, la femme ne lui avait pas témoigné le moindre intérêt, et le chien sentait qu'il n'était pas étranger à leur querelle. Tout tremblant, il se retrancha dans un coin du salon, la queue entre les jambes. Peu après, Juan le souleva doucement et le ramena à la clinique, où il passa une demi-heure à le câliner avant de le laisser seul dans sa cage pour la nuit.

Trois jours plus tard, Dougal et Juan emmenèrent Nelson au refuge. Suzi était l'infirmière de garde ce jour-là, mais Juan vint lui aussi, en tenue de ville – jean, tee-shirt et sweat-shirt. Tous trois prirent le temps de donner à Nelson un repas spécial composé de poulet et de riz, puis passèrent une heure à jouer avec lui. Le chien était ravi de toutes ces attentions, mais d'expérience, il savait que c'était une manière pour les humains de lui dire au revoir. Pendant que Juan conduisait le pick-up en direction du refuge, Nelson était lové sur les genoux de Suzi, qui lui grattait la tête comme le faisait autrefois Katey. Il faisait confiance à ses deux compagnons, même s'il sentait qu'il était sur le point de les quitter.

Kalispell comptait deux refuges. L'établissement du centre-ville, administré par un personnel attentionné, refusait de pratiquer des injections létales. C'était la destination de prédilection pour les chiens errants qui avaient fait un séjour dans la clinique de Dougal. Mais l'endroit débordait de pensionnaires, manquait de subventions, et n'avait pas de place pour Nelson, au grand désarroi du vétérinaire, en dépit de ses appels répétés. Dougal n'avait plus qu'à prier. Le second refuge de Kalispell était un petit bâtiment gris dans la périphérie de la ville.

Juan le transporta à l'intérieur en lui caressant tendrement le crâne. La grosse femme de la réception reconnut le jeune homme et ensemble, ils remplirent les documents administratifs. Nelson humait l'atmosphère avec appréhension. L'odeur dominante était celle de chiens. Il en distinguait dix, non, quinze, dans les parages. La cacophonie d'aboiements confirma son pressentiment. Les jappements rauques des gros chiens l'effrayaient. Il se mit à trembler. Mais une autre odeur emplissait l'air. Une odeur noire, étouffante, encore inconnue de Nelson. Un effluve canin, aux relents nocifs, inquiétants.

Nelson s'efforça de rassurer Dougal et Juan quand ils lui dirent au revoir. Il sentait bien que leurs adieux étaient forcés, allaient contre leur volonté. Lorsqu'ils le serrèrent dans leurs bras pour la dernière fois, il lécha les larmes qui roulaient sur leurs joues.

La grosse dame, Cecilia, serait l'une des deux personnes que Nelson verrait le plus au cours de la semaine suivante. Cecilia gérait la partie administrative et les menues corvées de maintenance du refuge et de la fourrière. L'autre personne, Eddie, nettoyait les locaux tous les jours et donnait à manger aux animaux. La première fois que Nelson renifla Cecilia, il ne perçut aucune émotion, positive ou négative. Les chiens ne lui inspiraient aucun sentiment particulier. En Eddie sourdait une douleur inconnue, de sorte que l'employé ne créait guère de liens avec les chiens de la fourrière. Durant son séjour, Nelson n'établit aucune connexion humaine, contrairement à la clinique de Dougal. Le refuge était un endroit gris et terne.

Nelson frissonna de peur quand Cecilia pénétra dans la salle principale du refuge, où quatorze chiens étaient enfermés dans six grandes cages. Au moins la moitié était des pit-bulls. Trop souvent, les humains achetaient ces chiens, fascinés par leur puissance, puis découvraient rapidement combien ils étaient difficiles à gérer et les abandonnaient. Les chiens grognèrent et aboyèrent quand Cecilia entra dans la salle avec le nouveau venu. Nelson gémit faiblement. Les pit-bulls et un berger allemand croisé grondèrent en dardant sur Nelson un regard féroce. Bien qu'Eddie soit censé sortir les animaux tous les jours, il manquait régulièrement à ses devoirs. Le trop-plein d'énergie des gros chiens ressortait alors sous forme d'agressivité.

Cecilia ouvrit la porte de la cage dévolue aux chiens de petite taille. Quand elle posa le malheureux par terre, il vacilla sur ses trois pattes et s'affala. Dougal et ses assistants prenaient toujours soin de l'aider à s'équilibrer avant de le lâcher, or Cecilia n'avait jamais eu affaire à un animal amputé d'une patte. Ignorant l'animal, elle referma la porte et disparut. Elle n'avait pas l'intention de revoir le chien avant un bon moment.

Les deux autres compagnons de la cage de Nelson se mirent à grogner après lui. Le premier, un bâtard âgé au pelage noir et blanc, avait le regard triste. Plusieurs blessures sur son corps harassé avaient laissé des cratères dans sa fourrure. Le second était un jeune corgi croisé, plein d'énergie, qui serait adopté deux jours plus tard. Nelson s'éloigna instinctivement de ses deux congénères et se recroquevilla dans un coin, sur une vieille couverture mitée. Il s'allongea tranquillement, entouré des grognements des pit-bulls. Humant l'air, il tenta d'identifier les effluves noirs qui planaient telles des menaces dans l'atmosphère.

De la lumière filtrait par les hautes fenêtres. Plus tard dans la journée, Eddie vint déposer une gamelle de nourriture dans chaque cage et changea l'eau des bols. En dépit de son copieux petit déjeuner, Nelson était affamé, mais quand il fit mine de s'approcher de la gamelle, les deux autres chiens grondèrent et le corgi croisé se campa d'un bond entre la gamelle et lui. Nelson dut attendre que ses deux compagnons de captivité soient endormis pour manger le peu de croquettes restantes. Après avoir bu quelques gorgées d'eau, il alla se coucher. Au moins, la pièce était bien chauffée. Plusieurs fois, le petit chien se réveilla tout surpris d'être enfermé dans cette salle étrange, au lieu de son environnement familier à la clinique. Mais sa frayeur l'avait épuisé et il dormit jusqu'au petit matin.

Nelson ne se rappelait pas son séjour dans l'animalerie d'Emil, quand il était tout petit. Sinon, il aurait sans doute reconnu ces sensations, tant les deux expériences se ressemblaient. L'emprisonnement avec d'autres chiens. Les humains qui venaient les observer plusieurs fois par jour, guidés par Cecilia ou Eddie. Les humains cherchaient un animal de compagnie pour égayer leur foyer. Certains s'en allaient rapidement, révulsés par les lieux sinistres et déprimants. D'autres désignaient tel ou tel animal du doigt. Cecilia ou Eddie prenaient alors une laisse, sortaient l'heureux élu de sa prison, et le confiaient à l'homme qui voulait faire sa connaissance. En voyant le chien à trois pattes, les visiteurs détournaient le regard ou riaient. Dans la pénombre de la fourrière, aucun ne prit le temps d'admirer ses yeux magnifiques ou sa queue fabuleuse. Ils ne voyaient rien d'autre qu'un malheureux animal à trois pattes. Et qui voudrait ramener un estropié chez lui ?

Le corgi croisé attirait souvent l'attention et sortait régulièrement de sa cage. Finalement, une petite fille et sa mère l'adoptèrent. Nelson et le vieux chien noir et blanc se retrouvèrent seuls dans leur cachot. Le bâtard grondait toujours après le chien à trois pattes à l'heure des repas, mais un jour, Nelson aboya méchamment en retour, après quoi tous deux partagèrent leur pitance sans faire d'histoire.

Quand le corgi croisé était encore là, aucun visiteur ne demanda à jouer avec le vieux chien noir et blanc. Le lendemain du départ du corgi, un homme d'âge moyen, à l'air morne, montra le bâtard du doigt. Cecilia lui mit une laisse et le vieux chien suivit péniblement l'homme dehors. Quelques minutes plus tard, ils étaient de retour. Cecilia lui ôta sa laisse et le remit en cage. Puis l'homme s'en alla. Sans le chien.

Nelson observait attentivement toutes les allées et venues. Il avait passé tant de bons moments avec les êtres humains qu'il mourait d'envie de caracoler avec ces gens, lécher leur peau salée, les taquiner du museau. Néanmoins, quelque chose les retenait. À force de rester dans sa cage, sa blessure le fit de nouveau souffrir. Eddie emmenait le bâtard noir et blanc se promener régulièrement, mais ne s'embêtait pas à passer une laisse au chien à trois pattes pour lui faire prendre l'air.

Même s'il se levait et s'étirait de temps à autre, il ne faisait pas assez d'exercice pour entretenir ses muscles et garder ses forces.

Au bout de cinq jours, Eddie vint chercher le bâtard noir et blanc et le fit sortir de la salle par la porte du fond. Le malheureux ne revint jamais. Seul dans sa prison, Nelson inhala l'air en se demandant ce qui lui était arrivé. Plus tard dans la soirée, il renifla la forte odeur de son compagnon, mêlée d'une pestilence inconnue. Lui qui avait respiré l'odeur du chien vivant ne comprit pas tout de suite qu'il reniflait à présent son cadavre, son corps incinéré et réduit en cendres dans le petit crématorium situé dans l'autre partie du bâtiment. Lorsque Nelson comprit enfin la signification de cette odeur, son corps se mit à trembler de manière incontrôlable. Terrorisé, il passa la majeure partie de la nuit éveillé. Alors que les pit-bulls ronflaient, il se blottit dans un coin de sa cage, le corps secoué de frissons. Puis il se leva brusquement et voulut creuser frénétiquement un trou dans le sol de pierre froid. Il trébucha, mais se releva aussitôt, mû par le désir irrépressible de forer un trou, de fuir. Son remue-ménage réveilla quelques pit-bulls, qui fixèrent Nelson sans comprendre, avant de se rendormir. Eux savaient que les cages étaient sécurisées et qu'il était impossible de s'en échapper.

23.

En dix-sept ans de carrière, Eddie avait pris la vie de milliers de chiens. Il avait débuté ce métier à l'âge de vingt-neuf ans, peu après son mariage avec la femme de ses rêves. Un bébé était déjà en route et son job à la fourrière semblait un bon moyen de payer les factures en attendant des jours meilleurs. Le jeune homme rêvait de monter sa propre affaire, un magasin de réparation de voiture ou autre commerce du même acabit. Ainsi, il espérait ne passer que deux ou trois années à la fourrière, tout au plus.

À la naissance du bébé, il apparut très vite que ce serait un enfant difficile. Ses pleurs étaient incessants, sans compter les virées à l'hôpital. En plus de son travail au refuge, Eddie dut prendre un job de nuit dans un magasin de proximité pour pouvoir parer à toutes les dépenses. L'arrivée de l'enfant avait aussi pris son dû sur le mariage d'Eddie. Le peu de temps qu'ils passaient ensemble, Eddie et sa femme se disputaient.

Deux ans après l'arrivée du bébé, Eddie rentra chez lui à l'improviste au milieu de la journée et trouva sa femme au lit avec un autre homme, pendant que leur bébé pleurait. Elle lui assura que ce n'était que sa deuxième incartade, et son mari la crut. Mais deux fois étaient deux fois de trop, et Eddie ne s'en remit jamais vraiment. Ils tentèrent de sauver leur mariage, mais six mois plus tard, Eddie remplissait les papiers du divorce.

Ainsi, le jeune homme conserva son poste au refuge et avant de s'en rendre compte, six ans, sept ans et même huit s'étaient écoulés. Ses tempes commençaient à grisonner et son crâne à se dégarnir. Aucune autre opportunité de travail ne s'offrit à lui. Le soir, il était trop fatigué pour ne serait-ce que réfléchir à monter une nouvelle affaire. Son existence était consacrée à trouver des fonds pour élever son fils et lui procurer tout ce dont il avait besoin. Cependant, malgré ses efforts, il ne parvenait pas à créer de liens intimes avec son fils. La mère s'évertuait à expliquer à son fils que son père était un raté, un perdant. Les jeunes esprits sont impressionnables et l'enfant finit par la croire.

Lorsqu'il était encore jeune, amoureux et insouciant, Eddie se sentait affreusement mal de devoir, chaque vendredi, exterminer les chiens qui avaient passé plus d'une semaine à la fourrière sans trouver de propriétaire. Au début de sa carrière, il avait lu dans des manuels édités par des associations de défense des animaux que c'était la manière la plus humaine de procéder, étant donné les maigres ressources des refuges américains. Livrés à eux-mêmes, les chiens errants menaient des existences misérables dans les rues d'Amérique, à la merci du froid et de la faim. Ils répandaient les maladies et pouvaient représenter une menace pour l'homme. Garder les animaux plus d'une semaine à la fourrière était impossible, faute de moyens. En conséquence, leur ôter la vie était la solution la plus humaine, étant donné les circonstances.

Au début, Eddie redoutait sa tâche du vendredi. Le jeudi après-midi, on lui remettait une liste des animaux à abattre. Initialement, cette liste était établie par une jeune femme au teint frais du nom de Holly, qui aimait sincèrement les animaux et haïssait cette obligation. Mais la jeune femme se maria et déménagea en Californie. Sa remplaçante ne plut guère à Eddie. Bien qu'elle ne soit pas très jolie à regarder, Cecilia faisait de l'excellent travail en ce qui concernait l'administration de la fourrière. Jamais elle n'avait commis la moindre erreur de paperasserie et sa liste du jeudi après-midi était toujours pertinente. Eddie avait appris à la respecter et était libre de s'organiser à sa guise, seul avec sa malédiction.

En général, trois ou quatre noms étaient inscrits chaque semaine. Parfois plus, parfois moins. Au début, Eddie s'efforçait de réaliser cette opération avec compassion et dignité. Il donnait à l'animal un dernier repas, lui prodiguait des caresses, puis lui injectait une dose de penthotal. Au fil des années, il finit par se dire que témoigner de l'affection aux condamnés était tout bonnement inutile. S'ils retrouvaient Dieu dans une forme de vie après la mort pour les animaux, ils recevraient alors tout l'amour nécessaire. Ainsi, après les avoir emmenés dans le crématorium contigu à la salle principale du refuge, il pratiquait rapidement l'injection. Chaque animal mort était ensuite enveloppé dans un sac de plastique gris, qui se déclinait en trois tailles. Les gros chiens n'étaient pas faciles à transporter.

Son devoir rempli, Eddie faisait une pause d'une demi-heure. Il en profitait pour manger un sandwich et boire un café instantané avec deux cuillères de sucre. À ses débuts à la fourrière, il avait établi cette routine en réaction à l'extermination des animaux. Il faisait une petite prière en se restaurant et repassait dans sa tête toutes les raisons qui rendaient son acte prétendument humain. Mais quand son mariage se brisa, il devint en quelque sorte immunisé contre la mort des animaux autour de lui et se mit à penser de plus en plus souvent à sa femme et son enfant pendant qu'il mangeait son sandwich accompagné de son café. À l'époque du séjour de Nelson au refuge, Eddie ne ressentait pratiquement plus rien pour les condamnés. Cela faisait simplement partie de son travail.

Après sa pause, l'employé chargeait les corps dans le petit four du crématorium. Un interrupteur et une minuterie située derrière le four permettaient d'enclencher l'incinération, et quinze minutes plus tard, les corps se transformaient en cendres. Après quoi, Eddie retournait dans la salle principale pour nettoyer les cages. Une fois les cendres refroidies dans le four, il les mettait dans des sacs poubelles. L'odeur le répugnait, même après dix-sept ans, aussi avait-il pris l'habitude de porter un pince-nez pendant cette partie du processus. Il se dépêchait de s'acquitter de cette corvée, puis jetait les trois sacs poubelles dans les grands conteneurs derrière le refuge. Durant les premiers temps, il avait même écrit une lettre aux autorités locales pour leur suggérer de récupérer les cendres et s'en servir comme engrais, mais il n'avait jamais reçu de réponse. Les milliers d'animaux exterminés à la fourrière terminaient dans un terrain vague, quelque part en Amérique.

24.

Quand Cecilia confia sa liste ce jeudi-là à Eddie, il pleuvait des cordes. Nelson les observait attentivement. Il ne savait pas que son nom figurait sur la liste des condamnés. Mais l'odeur fétide de la récente crémation du bâtard noir et blanc planait encore dans l'atmosphère. Le chien à trois pattes n'avait pratiquement pas dormi depuis la disparition de son compagnon, six jours auparavant, conscient des atrocités qui se produisaient dans ce lieu sinistre. Sa blessure le faisait de nouveau souffrir, mais la noire pestilence occupait toutes ces pensées. Par moments, Nelson perdait tout espoir. La peur le saisissait et tout semblait perdu. L'ombre funeste de la mort allait inévitablement l'engloutir lui aussi. Mais la veille de sa mort prévue, Nelson sombra enfin dans le sommeil, vaincu par l'épuisement, et fit un rêve. Il se trouvait dans un jardin. Un immense jardin, rempli d'arbres et de fleurs magnifiques, comme celles de Mme Anderson. Son Grand Amour, Katey, flottait au-dessus de lui, embaumant l'air de son parfum. Les bois de son piano distillaient leurs merveilleuses essences, et la fragrance des tubéreuses enivrait ses sens dans la nuit parfumée. Autant de sensations intenses et rassurantes à la fois. Nelson était sur un petit nuage, euphorique et heureux. Il se réveilla dans la fourrière humide, toujours enveloppé de l'aura de son rêve. Pleinement éveillé, le nez au vent, son corps semblait avoir retrouvé une énergie nouvelle.

Le lendemain matin, Eddie apporta aux chiens leur petit déjeuner. L'employé s'en tenait à sa routine, même le jour de l'extermination. Tous les sens en alerte, Nelson suivait le moindre de ses mouvements.

Eddie se méfiait toujours en ouvrant les portes des grands chiens, au cas où l'un d'eux tenterait de s'enfuir. Parfois, un téméraire grondait et s'avançait d'un air féroce. Mais le petit chien à trois pattes s'était toujours montré docile et placide quand Eddie venait le nourrir. Aussi, il fut totalement décontenancé lorsque le petit animal bondit sur ses trois pattes avec une surprenante dextérité et, avant qu'il ne puisse réagir, fila entre ses jambes et détala vers le bureau d'accueil. Eddie le pourchassa sous les aboiements des autres chiens. Au moment de cette échappée désespérée, ce n'était pas la peur qui étreignait le cœur du chien, mais le désir brûlant de fuir cet horrible endroit. L'adrénaline activait ses muscles, propulsant ses trois petites pattes avec ardeur, comme si sa vie en dépendait. Nelson quitta la salle principale à toute allure pour aller tout droit dans la réception, située à l'entrée de la fourrière. Assise à son bureau,

Cecilia appela Eddie en voyant le curieux animal débouler dans la pièce. Comme la porte d'entrée était close, Nelson chercha une échappatoire. La grosse femme s'empara d'un balai au moment où Eddie arrivait à la rescousse, à bout de souffle. Tous deux firent face à l'animal, totalement pris de court par sa détermination et son adresse. Quand les humains se rapprochèrent, le chien à trois pattes se mit à gronder, puis à aboyer furieusement. Son agressivité soudaine les effraya. Ils avaient déjà eu affaire à des bêtes malades, et Cecilia s'était même fait mordre une fois. Les deux employés reculèrent prudemment. Eddie disparut dans la pièce du fond pour aller chercher le pistolet à fléchettes, afin d'administrer un sédatif à l'animal. Méfiante, Cecila vit Nelson se poster près de la porte d'entrée, sans la quitter des yeux.

À ce moment-là, Eddie n'était pas encore revenu que la sœur de Cecilia ouvrit la porte pour lui apporter des beignets et du café. Cecilia n'eut pas le temps de prévenir la nouvelle venue pour empêcher le petit chien de se faufiler entre ses jambes et s'enfuir à toute allure.

Eddie et Cecilia n'eurent même pas l'idée de pourchasser le fuyard, étant donné le temps épouvantable. À quoi bon, après tout ? Ils avaient d'autres chats à fouetter. Nelson courut à perdre haleine sous la pluie battante.

25.

Nelson courait, tout tremblant, sous les trombes d'eau. Il n'avait aucune destination en tête. La peur et l'instinct de survie lui criaient de fuir le plus loin possible de ce lieu empreint de mort où il avait séjourné une semaine. Les rues étaient désertes. Avec la pluie, la plupart des humains s'étaient reclus dans leurs maisons douillettes ou leurs bureaux. Certains se réconfortaient avec un café chaud et des beignets, tandis que d'autres râlaient après les fuites de leur toiture. Les rares personnes qui aperçurent le chien à trois pattes galopant comme un fou sous l'averse crurent sans doute à une apparition.

L'adrénaline enflammait le petit chien. Son corps frissonnait sous le froid mordant, mais il ne ressentait pas la douleur. Ses sens étaient décuplés, son nez fouillait frénétiquement l'air. La puanteur de mort était-elle toujours présente ? Les senteurs du jardin de ses songes étaient-elles réelles ? À l'affût des deux odeurs, il poursuivait sa course folle dans la ville froide et grisâtre.

La nuit tombait. Le chien se trouvait dans quelque banlieue étrange d'une ville du Montana. La pluie avait balayé la plupart des odeurs. Soudain, Nelson éprouva une profonde lassitude. En ralentissant l'allure, il ressentit pour la première fois la morsure du froid et les courbatures de son corps, qui semblait avoir été roué de coups. Perçant les ténèbres, il inhala l'air de la nuit, à la recherche d'indices. La seule source de lumière provenait d'un magasin d'alimentation non loin de là. Nelson s'approcha de la porte de derrière. Le propriétaire, d'origine étrangère, était en train de sortir la poubelle quand il aperçut le chien à trois pattes, qui leva sur lui son drôle de regard interrogateur. L'homme ne fit pas d'objection quand Nelson se faufila dans l'arrière-salle du magasin et se recroquevilla en tremblant dans un coin. L'homme, qui avait vu de nombreux chiens estropiés durant son enfance dans son lointain pays natal, eut pitié du malheureux animal. Il restait deux hot-dogs dans le chauffe-plat, qui ne seraient plus bons le lendemain. L'homme les coupa en petits morceaux et les déposa sur un plateau en carton près du chien, qui les engloutit dès que l'homme s'éloigna. Le commerçant craignait de retrouver son arrière-salle souillée de pisse et de merde le lendemain, mais il ne pouvait se résoudre à jeter le pauvre animal dehors, dans la nuit glaciale. Avant de partir, il l'enferma dans la pièce, laissant tout de même une petite lampe allumée dans un coin.

Malgré son repas, Nelson tremblait toujours. Pourtant, l'épuisement finit par avoir raison de lui et il s'endormit profondément. Il était encore endormi quand le commerçant ouvrit son magasin au petit matin. Quand la porte s'ouvrit, le chien se réveilla en sursaut. Son corps était toujours endolori, mais il n'avait plus froid. Les deux hot-dogs et la couverture l'avaient un peu ragaillardi.

En se réveillant ce matin-là, son instinct lui souffla de fuir les êtres humains. C'était un sentiment nouveau pour le chien, qui avait toujours chéri la compagnie des hommes. Mais les événements des semaines passées lui avaient laissé un sentiment de confusion. Il avait sauvé la vie d'un homme, et perdu une patte. Puis des humains l'avaient soigné, avant de le livrer à une mort certaine. Tout cela n'avait aucun sens, en particulier pour un cerveau canin. On ne pouvait pas se fier aux hommes, conclut-il, et il fallait s'en éloigner le plus possible. L'animal ne savait pas où aller, où se réfugier, mais une part de lui désirait fuir les villes pour toujours et trouver un autre mode de vie, loin des humains.

Certes, il aurait pu attendre de voir si l'homme du magasin allait le prendre sous son aile, comme d'autres l'avaient fait. Mais Nelson ne s'accrocha pas à cet espoir. À peine éveillé, il bondit sur ses trois pattes et s'enfuit sans demander son reste, comme la veille à la fourrière. L'homme faillit trébucher quand le curieux animal se glissa entre ses jambes et détala dehors. Mais il avait du travail et l'oublia rapidement.

Le ciel était toujours parsemé de nuages gris, mais la pluie avait cessé et des gouttes de soleil illuminaient les arbres alentour. Un homme aurait pu regarder autour de lui à des kilomètres à la ronde, tant le ciel était dégagé. Nelson, quant à lui, pouvait sentir mille senteurs au loin. Dans l'atmosphère fraîche et lumineuse, les pistes olfactives étaient clairement visibles.

À la périphérie de la ville, Nelson inspira les effluves des forêts et des montagnes lointaines. Depuis sa naissance, il s'était toujours senti chez lui dans les environnements humains. Quand le joli petit chien s'assit sur la terre fraîche au petit matin et parcourut le monde de son odorat puissant, quelque chose avait changé en lui. Il éprouvait des sentiments ambivalents à propos du monde des hommes. Autrefois, ce monde était synonyme de sécurité, mais aujourd'hui, il représentait une menace.

Au-delà, les effluves ancestraux, bruts, paisibles des montagnes, l'attiraient. Très loin de la ville, les saumons bondissaient dans les eaux claires des rivières. Les vastes forêts vierges n'avaient pas été touchées par la main de l'homme. Dans les sols fangeux, Nelson reniflait la richesse de ces terres millénaires. L'herbe, merveilleuse et mystérieuse, ensorcelait son âme.

Il sentait aussi les insectes, les fourmis, les lézards et les serpents qui glissaient sur ces terres sauvages. En cette belle journée, son nez respirait toutes ces essences avec une acuité décuplée. Son odorat se repaissait des senteurs plus complexes encore des plantes et des fleurs qui embaumaient le paysage.

Mais non loin de là vivaient des humains, avec leurs maisons, leurs voitures, leurs magasins. Leur cuisine avait toujours envoûté Nelson. Même si la nature exerçait sur lui une puissante attraction, les relents des poubelles l'incitaient à rester en périphérie de la ville, à la frontière entre vie humaine et vie sauvage, sur cette ligne de partage verdoyante où la nature commençait à reprendre ses droits. Quel étrange sentiment pour un chien d'être ainsi tiraillé dans des directions opposées. Le traumatisme de son séjour au refuge lui avait laissé un sentiment de confusion. Quelle était sa place dans ce monde ? Où se sentirait-il chez lui ? Les jours suivants, Nelson vécut dans une sorte d'entre deux mondes troublant, à la fois rejeté par l'univers des hommes qu'il chérissait tant, et effrayé d'embrasser le monde sauvage.

Une fois ou deux, il renifla l'odeur du coyote dans la brise matinale. Cela l'enjoignit aussitôt à retourner dans l'environnement sécurisé des hommes. Mais la terreur que lui inspirait la fourrière l'empêchait de se rapprocher trop près des maisons et des routes de la ville.

Dans l'air planait aussi une odeur inconnue. Il l'avait humée bien des fois auparavant dans les vents de Kalispell. Autrefois, cette odeur l'effrayait, lui inspirait la plus grande méfiance. Mais à présent, elle l'attirait autant qu'elle le repoussait. Elle était même étrangement réconfortante. Riche, énigmatique, elle n'était pas si différente de sa propre fragrance. Sauvage et ancestrale. C'était l'odeur du loup.

26.

La mère louve était triste. Son chagrin déferlait par vagues et parfois la submergeait entièrement. Elle n'avait pas eu le temps de faire la connaissance des deux petits louveteaux qui avaient succombé trois jours seulement après leur naissance. De ce fait, son sentiment de perte n'était peut-être pas aussi profond qu'il l'aurait été pour un autre membre de la meute. Lorsqu'un loup âgé exhalait cette odeur particulière, qui annonçait que bientôt il resterait étendu, ne chasserait plus, ne tuerait plus et ne mangerait plus avec ses semblables, la matriarche éprouvait une immense tristesse. La mort de ses petits lui causait une peine différente, sans doute en partie adoucie par le besoin immédiat et pressant de prendre soin des trois louveteaux vivants. Affamés, ils suçaient ses mamelles avec avidité. Le corps de la louve produisait de telles quantités de lait qu'elle aussi était affamée et avait besoin d'importantes rations de viande rouge, de sorte que son nez frétillait chaque fois qu'elle reniflait l'odeur d'un jeune animal, qu'elle pourrait aisément tuer et consommer. En général, les loups chassaient la nuit, mais la mère louve se retrouva à arpenter les environs durant la journée, ses petits dans son sillage, dans l'espoir de trouver de la viande supplémentaire pour assouvir son insatiable appétit.

Le père loup l'aidait de son mieux, tentait de rendre la chasse plus facile. La nuit, la famille de cinq loups se tenait chaud dans leur tanière. Quand la louve sentait l'odeur du patriarche et de leurs trois petits, elle ressentait une joie et un bonheur immenses. Puis le souvenir de ses bébés morts lui revenait en mémoire, et le chagrin l'accablait de nouveau. Non loin de la tanière, les quatre autres membres de la meute surveillaient les alentours, trois femelles et un mâle. Parfois, la louve entendait leurs hurlements nocturnes, et pendant que ses petits aspiraient goulûment son lait, elle était heureuse de les savoir à l'abri, sous la protection du clan. Par moments, l'odeur d'un ours ou d'un coyote pénétrait ses narines, et elle aboyait sourdement pour avertir la meute de se tenir sur ses gardes. Le patriarche guettait aussitôt les environs et grognait parfois après les autres loups pour leur faire savoir que la survie des petits était en jeu. Dès lors, aucun intrus n'était autorisé à s'approcher. Les membres du clan se tapissaient souvent en présence de leur chef. Le loup dominant les mordait à l'occasion, puis les guérissait en léchant leurs plaies. Il distribuait amour et punition avec la même passion. Tous savaient combien leur chef les aimait, mais avaient aussi appris à ne pas remettre en cause son autorité, pas plus que celle de la matriarche.

Le loup et la louve dominants menaient leur petite meute depuis maintenant quatre ans et demi et s'accouplaient exclusivement l'un avec l'autre. Leur territoire se situait un peu trop près des habitations humaines à leur goût, mais quand ils avaient sillonné ces terres avec leurs parents, c'était à cet endroit qu'ils avaient finalement élu domicile, sans craindre la menace d'autres clans. Leurs odeurs réciproques étaient la plus grande force de leur petit univers. Quand la louve était en chaleur, le mâle dominant restreignait difficilement son désir et ensemble, ils avaient donné naissance à une trentaine de louveteaux. Hélas, la moitié d'entre eux avaient été victimes du froid, des coyotes ou des ours, ou encore des microbes de maladies étranges, nichés dans leur fourrure. Les survivants, eux, avaient grandi et étaient devenus de magnifiques loups gris.

Le père et la mère loups aimaient tendrement leurs enfants et la protection des louveteaux constituait le cœur de leur existence. Cependant, une fois adultes, les jeunes loups devaient un jour se résoudre à partir, comme eux-mêmes avaient quitté autrefois la meute de leurs parents. Aucun loup de leur clan ne devait devenir assez puissant pour défier leur autorité. Le patriarche sentait le premier le moment où un jeune loup avait pris assez d'assurance pour représenter une menace. Dès lors, il essayait de le mordre d'un claquement de mâchoire sec. La mère louve, profondément attachée à ses petits, ignorait de prime abord le comportement du patriarche. Mais bientôt, elle se joignait à lui pour blesser ses propres enfants et les chasser, les livrer à la vie sauvage, afin qu'ils fondent à leur tour leur propre famille. Oui, la matriarche avait de la peine quand ses jeunes enfants, aux plaies encore fraîches dues aux morsures de leur père, s'enfonçaient dans la forêt pour ne plus jamais revenir. Néanmoins, elle retrouvait sa bonne humeur dès le lendemain. Elle avait en effet été une bonne mère, qui avait élevé des loups devenus grands et forts, capables de survivre par leurs propres moyens.

Durant les premières semaines de vie des petits, la louve se sentait toujours plus en sécurité. Les louveteaux passaient le plus clair de leur temps dans la tanière et n'avaient besoin de rien d'autre que du lait. Mais ils grandissaient vite et bientôt, ils auraient besoin de diversifier leur alimentation. Mus par un instinct ancestral, ils lécheraient la bouche de leur mère et insèreraient leur petite langue dans sa gueule. La matriarche connaissait la signification de ce geste. Au bout de deux ou trois semaines, elle régurgiterait la majeure partie de ses repas, en sus de produire du lait. Ses petits se régaleraient alors de la bouillie dégorgée, qui n'était guère différente de la nourriture humaine à moitié cuite, préparant ainsi leurs jeunes estomacs à la viande crue qui ferait bientôt partie de leur alimentation.

En plus de ce changement de régime, les jeunes loups ouvraient les yeux et, à mesure que leurs corps se développaient, ils se sentaient de plus en plus à l'étroit dans la tanière souterraine exiguë creusée par leurs parents. Les parents escortaient alors leur progéniture à l'extérieur. Là, les petits jouaient sur la petite colline, au centre du territoire des loups. Sous l'œil attentif de leurs parents, les louveteaux fougueux se bagarraient entre eux, ainsi qu'avec les autres membres du clan. Parfois, durant la journée, la louve affamée arpentait son territoire, ses petits à sa remorque, en quête d'un repas supplémentaire.

La nuit, la meute chassait, laissant alors la mère seule pour veiller sur ses trois petits pendant une ou deux heures, parfois trois, le temps pour le chef et son clan de rapporter de la nourriture. Les louveteaux étaient trop jeunes pour mesurer les dangers de leur situation. Par le passé, un petit louveteau s'était éloigné de quelques mètres du périmètre de surveillance de sa mère et avait été emporté par un coyote, un dîner facilement gagné pour la bête sauvage. Ainsi, la matriarche se sentait toujours exposée durant ces chasses nocturnes.

Elle était soulagée quand les loups revenaient, avec dans leurs mâchoires un jeune cerf ou un gros lièvre, qu'ils déposaient devant elle. Les entrailles de l'animal étaient la partie la plus juteuse. Les parents loups s'en régalaient les premiers. Ils adoraient en particulier les reins et le foie de leur victime, qu'ils arrachaient grâce à leur odorat précis, pour les déguster comme des mets de choix. Les autres membres du clan patientaient pendant que leurs chefs savouraient tranquillement leur proie, avant de les autoriser à se joindre à eux.

Les louveteaux tournaient autour du cadavre, mais ils n'avaient pas encore le goût de la viande crue. Quand leur mère avait terminé son repas, ils se rassemblaient autour d'elle, léchaient ses babines ou suçaient les dernières gouttes de son lait. Environ une heure plus tard, une fois que les sucs de son estomac avaient suffisamment dissous la chair crue qu'elle venait de manger, son corps convulsait, et elle vomissait la majeure partie de son repas. Ses petits dévoraient jusqu'au dernier morceau de la mixture. Après une grossesse éreintante et une production de lait tout aussi épuisante, le cycle interminable des régurgitations achevait de l'affaiblir. Mais elle adorait ses petits et était déterminée à les protéger.

Elle ignorait pourquoi ses deux autres louveteaux étaient mystérieusement morts durant leur première semaine de vie. Quand ils avaient cessé de respirer, le patriarche les avait pris dans sa gueule et emportés hors de la tanière. Les membres du clan les avaient dévorés quand le père et la mère n'étaient pas dans les parages. Ainsi, les défunts n'étaient plus que des souvenirs dans l'esprit de la louve, pourtant, la peine demeurait.

En cette matinée ensoleillée, la tristesse habitait toujours son cœur, alors qu'elle errait dans la forêt. À son réveil, elle s'était sentie affamée et épuisée, à force de s'occuper de sa progéniture. Elle rongeait tranquillement l'os d'une des dernières proies rapportées par la meute, deux jours auparavant. La nuit précédente, malgré leurs efforts, la chasse n'avait rien donné. Alors que la louve n'avait rien avalé la veille, ses petits bourdonnaient autour d'elle, déterminés à trouver du lait ou de la nourriture régurgitée. Chasser était bien la dernière chose qu'elle avait envie de faire, tant son corps était exténué par l'alimentation de ses enfants. Pourtant, elle se força à se lever et s'éloigna lentement du territoire des loups dans l'espoir de trouver à manger. Ses trois petits caracolèrent à sa suite.

Généralement, la louve évitait les humains. Par le passé, elle avait fait quelques mauvaises rencontres. Une fois, deux chasseurs armés de fusil s'étaient aventurés sans le savoir sur leur territoire. Elle s'était avancée vers eux en grognant et ils avaient aussitôt fait feu. Par chance, la balle n'avait touché ni la mère ni le père, qui s'enfuirent à toute allure. Elle avait entendu un autre coup de feu, suivi des pas précipités des chasseurs, qui avaient détalé eux aussi, effrayés par les loups. Cet incident était gravé dans sa mémoire.

De la même façon que Nelson restait proche des habitats humains pour leur nourriture, c'était l'odeur de la cuisine qui avait attiré la louve vers la ville ce jour-là. La direction particulière des vents avait charrié un fumet de viande de barbecue irrésistible pour la bête sauvage affamée. La source avait beau se situer à plusieurs kilomètres de sa tanière, elle ne résista pas à la tentation et se laissa guider par son odorat puissant. Ravis de l'aventure, les louveteaux la suivaient en lui mordillant amoureusement les chevilles.

À moins d'un kilomètre de la ville, elle fut surprise de voir un étrange animal tranquillement étendu au soleil, à trente mètres de la route. Si le reste de la meute l'avait accompagnée, Nelson n'aurait sans doute pas survécu à sa rencontre avec la femelle et ses petits. Mû par son désir de protéger les louveteaux, le mâle dominant ou l'un des autres adultes aurait instantanément tué le chien, avant de le dévorer. Nelson aurait été facilement broyé par les mâchoires puissantes d'un loup sauvage.

Quand la louve vit Nelson, son instinct premier fut de le tuer. Il n'était pas un membre de la meute. Il n'avait aucun droit d'être là. La bête sauvage bondit vers l'intrus et retomba à quelques pas seulement de lui, prête à l'exterminer. Elle grogna en fixant Nelson de son regard glacial. Ses immenses incisives planaient devant lui. Les mâchoires serrées, elle s'apprêtait à n'en faire qu'une bouchée.

Mais les louveteaux n'avaient pas encore appris à tuer et, en voyant le petit chien à trois pattes, leur réaction instinctive fut de le considérer comme un partenaire de jeu. Avant que leur mère ne puisse bondir sur lui, les petits le taquinèrent et le poussèrent du museau, comme ils l'auraient fait avec l'un des leurs. Déconcertée, la louve hésita un moment, puis finit par renoncer à ses instincts meurtriers, vaincue en partie par l'épuisement.

L'odeur du loup planait dans l'atmosphère depuis une heure ou deux. En un sens, elle intriguait Nelson. Mais quand l'immense louve grise s'avança vers lui, il eut la plus grande peur de sa vie. La bête immense et majestueuse était prête à le massacrer. Nelson reconnaissait la puissance du loup qui le dominait. Un moment, il demeura immobile, paralysé de terreur. Soudain, les louveteaux caracolèrent autour de lui en le provoquant. Terrifié, le chien roula sur le dos en gémissant et offrit son cou à la louve en signe de capitulation.

En le voyant étendu sur le sol, les petits prirent sa soumission pour une invite. Ils se ruèrent sur

Nelson, qui se prit au jeu. Les trois louveteaux et le chien à trois pattes roulèrent dans le sable en jappant et se mordillant.

S'approchant du chien, la louve flaira sa peur. Puis elle renifla la cicatrice de sa patte amputée en grognant doucement. Comme Nelson et les autres spécimens de son espèce, la louve était un animal profondément émotionnel, qui ressentait encore cruellement la perte de ses petits. Ce chien était différent des loups, mais il leur ressemblait beaucoup. Son attention fut également détournée par une carcasse de poulet à demi rongée que Nelson avait récupérée la veille dans une poubelle. La mère s'en empara et se retrancha dans le sous-bois pour savourer tranquillement son butin. Elle ferma les yeux et fit une sieste, heureuse d'être libérée des exigences inlassables de sa progéniture pendant quelques minutes.

Les trois louveteaux poursuivirent leurs jeux fougueux avec Nelson. Il avait à peu près la même taille et était habitué depuis sept ans à s'amuser avec des êtres humains et d'autres chiens. Il était passé maître dans l'art du divertissement, pour le plus grand plaisir des louveteaux. À force de faire des galipettes et des cabrioles, les quatre compagnons se frottèrent les uns contre les autres, mêlant leurs odeurs.

Vingt minutes plus tard, la louve se leva et reprit lentement le chemin de son territoire. Ses petits lui emboîtèrent aussitôt le pas. Nelson éprouvait des affinités pour ces créatures et, sans réfléchir, les suivit à son tour. Chemin faisant, les louveteaux culbutaient sur Nelson, leur nouveau compagnon.

De retour à leur tanière, une heure plus tard, la meute remarqua l'arrivée du chien à trois pattes, mais qui avait la même odeur que les bébés loups. L'un des plus jeunes membres du clan, un grand loup au pelage strié de zébrures blanches, grogna après le nouveau venu. Aussitôt, la matriarche bondit sur lui et le mordit à la cuisse. La bête blessée recula en geignant. Allongée par terre, ses petits autour d'elle, la louve lécha le ventre du chien, comme si c'était l'un de ses rejetons. Le message était clair pour tous. Nelson était l'un de ses petits. Interdiction de le toucher.

Écoutez *The Wolf Mother and the Three-legged Dog* :
www.youtube.com/watch?v=4F4FEqtTYls.

27.

Au début, Nelson ne toucha pas à la viande crue régurgitée par la mère louve. Il lui semblait naturel de lécher les babines de cette créature majestueuse, comme le faisaient ses petits, et d'insérer sa langue dans ses impressionnantes mâchoires. Seulement, il n'associait pas encore cet instinct avec la nourriture, même s'il avait souvent léché ses compagnons humains, ou Lucy, de la même manière. La première fois que la louve convulsa et qu'une bouillie de salive mêlée de morceaux de viande à moitié mâchés éructa de sa gorge, le chien fut pris de court. Il resta à l'écart pendant que les trois louveteaux mangeaient la mixture avec voracité, puis lécha malgré tout le mélange, qui n'était pas à son goût.

Mais au fil des heures, sa faim grandissait, si bien qu'il finit par dévorer la bouillie primale avec appétit lui aussi. Cela ressemblait un peu à des aliments humains à moitié cuits. Une nourriture conçue pour sustenter les jeunes corps, remplie de fluides naturels sans doute répugnants aux yeux des humains, mais capables de développer les os, la fourrure, les yeux et le nez d'un bébé loup. L'espèce de Nelson avait beaucoup de points communs avec celle des loups. Il y a plusieurs millénaires, ils n'étaient qu'une seule et même espèce. Ainsi, la mixture fournie par la louve lui sembla bientôt délicieuse. Elle lui donnait des forces et guérissait ses blessures. Sa fourrure touffue luisait. Sa queue brillait dans le soleil du matin. Ses yeux étincelaient. Son nez flairait les détails exquis des collines et des forêts du territoire des loups.

En fait, le petit chien était plus vieux que les parents loups. Ses sept années constituaient un âge canonique pour un loup sauvage. Mais au cœur de la meute, il ne serait jamais rien d'autre qu'un louveteau. Jouer était dans sa nature et il éprouvait une affinité naturelle pour les louveteaux. Mais les loups adultes avaient depuis longtemps cessé de jouer. Le but de leur existence était de survivre, protéger leur clan et trouver à manger tous les jours.

Nelson n'osait jamais défier les grands loups. Au moindre signe d'agressivité de la part d'un loup adulte – un grognement, un regard, un reniflement inquisiteur – il se reculait, courbait l'échine, ou s'étendait sur le dos en gémissant, pour preuve de sa soumission. Souvent, le jeune mâle au pelage strié de blanc fixait le petit chien avec intensité et claquait sèchement les mâchoires pour asseoir sa position hiérarchique au sein de la meute. Mais l'odeur du petit chien à trois pattes était maintenant celle du clan, le loup inférieur devait donc l'accepter, s'il ne voulait pas déclencher la colère du chef. Durant la première nuit avec sa nouvelle famille, Nelson suivit les autres louveteaux à l'intérieur de la tanière, où ceux-ci dormaient avec leurs parents. Les deux loups dominants le laissèrent les suivre. La louve lui lécha l'estomac, puis s'attarda longuement sur sa cicatrice, à l'endroit de sa patte amputée, pour s'assurer que sa salive pénétrait bien la peau.

Pour la première fois depuis des mois, Nelson sommeilla au chaud, enveloppé par la chaleur de la famille loup, qui s'insinuait jusque dans ses os. Il resta éveillé un moment pendant que les loups dormaient. Dehors, il entendait le murmure de la nuit, les rixes occasionnelles entre les loups adultes, le bruissement de la brise nocturne, les cris distants d'animaux revendiquant leur territoire. Mais le doux ronflement des parents loups lui conférait un sentiment de sécurité absolue.

Ses souvenirs étaient essentiellement constitués d'odeurs, sans chemin linéaire, sans explications rationnelles, sans réelle analyse des liens complexes entre Katey et son piano, Thatcher, Lucy et l'odeur de mort à la fourrière. Il ne réfléchissait pas à ce qui l'avait amené à se retrouver ici, à vivre avec les loups. Mais cette nuit-là, il se sentait en sécurité et savait qu'il ne reprendrait pas son errance le lendemain. Il resterait avec eux quelque temps. Le chien ferma les yeux et plongea dans de beaux rêves, peuplés d'odeurs, où le père et la mère loups le protégeaient, le nourrissaient et l'aimaient comme l'un des leurs.

En quelques jours, Nelson se sentit chez lui dans le clan des loups. Ses nouveaux compagnons ne vivaient pas dans une maison comme son Grand

Amour. Les vents froids s'infiltraient parfois dans la tanière la nuit. Nelson sentait constamment les poils des loups dominants se hérisser sur leur dos, lorsqu'ils décelaient une menace dans la nuit sauvage. En même temps, le chien savait que la meute mourrait pour les défendre, les louveteaux et lui. Aux yeux des petits, il était l'un des leurs, en plus faible peut-être, lui qui trébuchait plus facilement et se fatiguait plus vite. En revanche, il jouait avec la même passion que ses camarades. Il prenait leurs petites pattes dans ses mâchoires pour les mordiller, tirait sur leurs queues, leur sautait dessus. Les louveteaux répondaient avec la même fougue joyeuse. C'était aussi dans leur nature. Nelson ne savait pas que leurs jeux inlassables, guidés par leur mère, étaient en réalité un entraînement pour le jour où ils devraient tuer des animaux.

Souvent, en début de soirée, le patriarche et les autres adultes disparaissaient dans le crépuscule. La louve grognait doucement après ses petits, qui apprirent rapidement à jouer plus près d'elle, sous sa surveillance. Un soir, Nelson gambadait près de la grande créature, quand l'odeur du coyote assaillit ses narines. La louve l'avait sentie elle aussi. Elle fouilla le sous-bois de son regard d'acier. Un long feulement surgit de ses entrailles et déchira la nuit. Les jeunes louveteaux l'imitèrent. Mais ce concert de voix n'arrêta pas le prédateur tout proche. La faim le guidait vers eux. Un louveteau ferait un excellent dîner. Nelson se mit à trembler derrière l'imposante masse grise de la louve, au moment où un coyote ébouriffé et crasseux émergea du sous-bois. C'était un cousin de celui qui avait tenté de tuer Lucy.

Les deux bêtes sauvages se jaugèrent, tous crocs dehors. La louve n'attendit pas que l'ennemi s'approche davantage. Elle bondit dans les airs et retomba à quelques pas du coyote affamé. Nelson prit peur en découvrant la créature furieuse et sauvage qui habitait le corps de la louve. Elle grognait férocement et claquait sèchement des mâchoires. Peu impressionné, le coyote gronda en réponse et fit un pas vers elle. Sans hésiter, la louve bondit de nouveau vers son agresseur et cette fois, planta ses crocs dans son cou. Gémissant de douleur, le coyote s'évanouit dans les buissons. La mère hurla de nouveau, aussitôt imitée par ses petits. Quelques minutes plus tard, le père et les autres adultes rentrèrent au bercail. Dans un bel ensemble, le clan hurla à la nuit. Tels des chanteurs d'un chœur primitif, chacun adopta une tonalité différente pour créer des accords ancestraux et passionnés qui résonnèrent dans la nature sauvage. Sans s'en rendre compte, Nelson se joignit spontanément au chœur des loups, poussé par son affection primale pour ces créatures. Le message était clair pour le coyote qui s'enfuyait dans les ténèbres, enveloppé par les feulements de ses adversaires. Aucun animal n'était autorisé à pénétrer leur territoire avec des intentions agressives, sans quoi il recevait une réponse polie.

Depuis cet incident, le petit chien était toujours un peu inquiet de voir la meute partir à la chasse. Il mesurait les dangers que la louve encourait. Ses petits pouvaient être dévorés et perdus pour toujours en un clin d'œil. Ignorant la sensation de peur, les louveteaux continuaient leurs divertissements dans l'insouciance la plus totale. Nelson se joignait à eux, mais il avait suffisamment d'expérience des atrocités de ce monde pour être saisi d'effroi de temps à autre. Néanmoins, il était reconnaissant à la louve de sa protection. La meute revenait une nuit sur deux de la chasse avec du gibier. Parfois, c'était seulement un lièvre des montagnes ou un petit castor, qu'ils rapportaient dans leurs solides mâchoires. D'autres fois, les loups traînaient tous ensemble une chèvre, un jeune élan ou un cerf chétif. D'abord, le père et la mère se régalaient de ses entrailles, la meilleure part. Au fil des semaines, ils encouragèrent les petits à goûter la chair crue, avant de permettre au reste du clan de se joindre au festin. Les jeunes traitaient l'animal mort avec le même esprit ludique qu'entre eux. Ils tiraillaient la carcasse saignante comme si ce n'était qu'un gros joujou. Au bout d'un moment, les parents grondaient, et les autres adultes se jetaient sur leur butin à leur tour. Lentement mais sûrement, les jeunes estomacs s'adaptèrent et leurs papilles appréciaient de plus en plus le goût de la viande crue dans les bouillies que leur mère régurgitait de moins en moins souvent.

Nelson arrachait quelques lambeaux de chair à la carcasse saignante, mais il ne prenait jamais réellement goût à ces agapes. La première fois qu'il goûta de la viande crue, il vomit. Après quoi, il n'en prit que quelques bouchées, préférant les mixtures tièdes de la louve.

Peu à peu, Nelson s'habitua à l'odeur du sang. Elle planait partout. Sur les carcasses de gibiers traînées par les loups jusqu'à leur repaire. Sur les crocs et les mâchoires des jeunes adultes. Sur leur fourrure. Le chien percevait l'excitation des bêtes sauvages quand l'odeur du sang imprégnait l'air. Il ne comprenait pas leur soif de sang, mais l'acceptait. Dans son esprit, le sang était synonyme d'énergie, de vie. Chaque créature avait un sang différent et vital. Dans les habitats humains, il avait rarement rencontré cette odeur très particulière.

Parfois, la colère bouillait chez les loups adultes, qui observaient avec envie les louveteaux prendre leur part du repas avant eux. Le loup au pelage strié de blanc menaça Nelson un jour, quand le petit chien s'avança pour manger avant les autres. Le dissident reçut aussitôt un avertissement cinglant de la part du patriarche. La hiérarchie de la meute était très stricte et tout membre qui tentait de briser les règles s'exposait à de sérieuses représailles. Les parents loups étaient d'immenses et magnifiques spécimens aux yeux du petit chien, qui leur vouait le plus grand respect. Il savait qu'il ne pouvait bénéficier de leur protection que s'il passait pour un louveteau et agissait comme tel. S'il observait sa place au sein du clan, il se sentait en sécurité.

Mais quand les loups dominants n'étaient pas près de lui, il captait souvent le regard tranchant du loup aux rayures blanches, qui le reniflait avec méfiance. Nelson s'aplatissait alors en poussant des glapissements pour lui faire savoir qu'il le considérait comme son maître.

28.

Les semaines, les mois passant, les jeunes croissaient rapidement. Nelson ne voulait pas les voir grandir. Si seulement ils pouvaient rester éternellement des enfants, ses camarades de jeu pour toujours, et qu'il puisse vivre avec eux en toute sécurité. La nuit, il rêvait encore de la noire pestilence de la fourrière. Les hurlements du vieux chien noir et blanc mort dans la fournaise de ce sinistre endroit le réveillaient. Il aurait tant aimé retrouver son Grand Amour, et Lucy, mais quand les odeurs et les bruits effroyables de la fourrière hantaient ses nuits, il était déterminé à rester le plus loin possible des êtres humains. Sa survie en dépendait.

Les jeux des jeunes loups étaient de plus en plus épuisants pour le petit chien à trois pattes. En grandissant, les louveteaux étaient devenus trop forts pour lui et leurs morsures, autrefois inoffensives, le blessaient au sang. La louve léchait ses plaies, qui semblaient guérir rapidement, mais un sentiment d'impuissance s'était emparé de lui. Il ne pouvait enrayer la croissance des louveteaux qui, bientôt, feraient le double de sa taille.

Nelson s'était habitué à la routine au sein de la meute. Chaque soir, les adultes partaient pendant quelques heures pour chercher de la nourriture, pendant que la matriarche surveillait ses petits et Nelson. Mais il sentait chez la louve une agitation grandissante durant ces soirées en solitaire. Une nuit, elle s'en alla avec le reste du clan, laissant Nelson et les louveteaux seuls. Les petits se mirent à arpenter la tanière en gémissant. Comme Nelson était le plus âgé de la troupe, il éprouva le besoin de les protéger, même s'il était aussi le plus petit. Il monta la garde jusqu'au retour de la louve et des autres adultes, peu de temps après. La louve rapporta un petit chevreuil moucheté au milieu de leur enclave. Le sang de sa victime avait éclaboussé la robe de la bête sauvage. Nelson sentait encore l'adrénaline qui enfiévrait le corps de la prédatrice. Elle festoya des entrailles du jeune animal avec une voracité particulière.

Les deux soirs suivants, la louve resta dans la tanière, mais fit montre d'une agressivité nouvelle envers ses petits. Le troisième soir, au moment du départ de la meute, elle gronda après les louveteaux. Quand les autres adultes s'éloignèrent, elle les suivit lentement, jetant un dernier regard froid à sa progéniture avant de s'en aller. Perplexes, les louveteaux ne savaient pas que penser de son attitude. Le plus fort d'entre eux lui emboîta le pas dans la nuit. Les deux autres se réfugièrent dans la tanière, suivis de près par Nelson. Tous trois s'étendirent, mal à l'aise, en se demandant comment interpréter ces changements dans leurs petites habitudes.

Quelques heures plus tard, Nelson et les deux louveteaux entendirent un hurlement. Ils se précipitèrent dehors, où les adultes étaient en train de mettre en pièces une biche frêle. Le louveteau parti chasser avec le clan se tenait près des adultes qui festoyaient, arrachant des lambeaux de chair crues de leurs crocs. Nelson et les petits restants s'avancèrent vers le gibier, comme à leur habitude, habitués à la protection des parents loups. Mais cette fois, la louve grogna, leur interdisant de s'approcher. Aussitôt, le loup aux stries blanches s'interposa pour gronder après Nelson. Nelson se recula prudemment, pendant que le loup rayé faisait bombance. Les adultes arrachaient la chair fraîche avec un contentement évident. Une fois rassasiés, ils s'éloignèrent de la carcasse, les babines et les dents maculées de sang, et laissèrent Nelson et les louveteaux manger les restes. Tous les quatre se restaurèrent sans hâte. Le loup aux stries blanches s'approcha du chien d'un air menaçant. Mais un grognement rauque de la louve suffit à le rappeler à l'ordre. Il battit en retraite et s'étendit.

Quelque chose avait changé au sein de la meute. Les jours suivants, le message de tous ces changements devint clair pour Nelson. Si vous voulez manger, alors vous devez participer à la chasse ! L'un des autres louveteaux rejoignit la meute pour ses virées nocturnes. Seul le plus petit resta à la traîne avec Nelson. Tous deux frissonnaient dans le froid de la nuit en attendant le retour de leurs aînés.

Nelson et le frêle louveteau hurlèrent de concert, quand le chien capta une bouffée de coyote dans la brise. Deux jours plus tard, quand le clan se remit en chasse, Nelson et le petit dernier se terrèrent une nouvelle fois dans la tanière. Mais quand les loups gris s'enfoncèrent dans les ténèbres, le loup aux rayures blanches s'attarda avec le chien à trois pattes et le louveteau. Il lui montra les crocs et un moment, sembla sur le point de lui sauter dessus. Mais la louve, qui ne s'était guère éloignée, revint rapidement à son secours, aboyant après le loup rayé pour défendre Nelson. Cette fois, quand elle rejoignit le clan, Nelson et le louveteau n'eurent d'autre choix que de lui emboîter le pas.

29.

La meute des loups gris se mouvait telle une ombre dans la nuit. De temps à autre, un rai de lune faisait étinceler leur regard froid et l'herbe bruissait sur leur passage. Mais seul un œil exercé aurait pu les voir.

Les louveteaux suivaient le groupe. Les adorables compagnons de jeu de Nelson n'existaient plus. À présent, c'étaient des animaux sérieux et mesurés, conscients des événements qui se préparaient. Lorsque le plus faible des louveteaux gémit, la louve se retourna vivement et grogna doucement, mais avec gravité. Après quoi, tous progressèrent en silence. Le plus fort des petits restait le plus près possible des adultes. Déjà, chasser était devenu chez lui une seconde nature. En quelques mois, il avait abandonné le jeu pour entrer dans l'âge adulte. Le jeu n'était qu'une préparation à la chasse. Et cette nouvelle aventure satisfaisait sa nature profonde.

Le clan parcourut plusieurs kilomètres dans la campagne environnante. Nelson luttait pour maintenir l'allure, actionnant courageusement ses trois petites pattes. S'il venait à être séparé du reste du groupe, il deviendrait une cible facile pour le loup aux stries blanches. Nelson s'était habitué à vivre dans le périmètre de la tanière. Certes, il était curieux de nature, mais ce n'était pas ainsi qu'il aimait explorer le monde. Les loups progressaient à marche forcée et il avait le plus grand mal à les suivre. Une menace planait. Les membres de la meute étaient pour lui une famille unie, aimante et protectrice, mais ce soir, leurs pores émettaient une autre substance.

Soudain, les loups ralentirent le pas et se tapirent dans les buissons. Les sens extrêmement développés de Nelson captèrent rapidement l'odeur d'un lièvre sauvage non loin de là. Scrutant le sous-bois, il discerna l'animal en train de manger de l'herbe. Le patriarche s'apprêtait à se jeter sur sa proie quand le lièvre sentit la présence du loup dans la brise nocturne. Le lièvre détala. Un moment, le patriarche hésita à le suivre, puis grogna et reprit lentement sa progression. La meute le suivit sans la moindre déception. De toute façon, le lièvre n'aurait pas suffi à les nourrir tous.

Vingt minutes plus tard, Nelson fut le premier à repérer la famille de cerfs dans l'air de la nuit. Il émit un grognement, réflexe pour protéger son clan. Mais la meute n'avait pas besoin de protection. Au grondement du chien, les loups se tournèrent vers lui et le fixèrent avec férocité. Le loup strié montra les crocs, comme pour prévenir Nelson de ne pas perturber leur rituel de chasse. Mais le père loup renifla à son tour les animaux dans la brise et bondit aussitôt dans leur direction. La meute se coula lestement derrière lui.

Deux cerfs adultes paissaient tranquillement dans le clair de lune. Leur pelage tacheté brillait dans la lumière argentée. Si une meute de loups n'avait pas été dans les parages, cela aurait constitué un charmant tableau. Les deux adultes étaient des femelles. Le mâle avec qui l'une d'elles s'était accouplée sept mois auparavant broutait à une centaine de mètres de là. C'était une créature immense et majestueuse, aux bois spectaculaires et au regard franc.

Mais ce n'était pas les deux femelles qui intriguaient le chef de la meute. C'était le jeune faon qui broutait paisiblement à leur côté. Le petit était âgé de quelques mois. Il ne mangeait de l'herbe que depuis peu de temps, après avoir été nourri au lait de sa mère.

Le père loup guida rapidement la meute vers sa proie du jour. Un moment d'hésitation, et l'opportunité leur échapperait. Les biches avaient souvent senti l'odeur du loup ou du coyote au cours de leur existence. Bien des fois, elles avaient échappé aux mâchoires puissantes de ces bêtes féroces. Quand l'odeur piquante du prédateur assaillait l'odorat d'un cerf, son instinct premier était de fuir, fuir à toutes jambes pour échapper à la mort. L'une des biches disparut en un éclair dans le sous-bois. Mais l'instinct maternel dictait à la seconde de protéger son petit. Elle poussa vivement le faon du museau, l'incitant à s'éloigner des loups au plus vite.

Hélas, le jeune faon n'était pas rompu aux dangers de ce monde et refusait obstinément de bouger. Trop tard. Les loups bondirent sur leurs proies. Trois adultes, aidés du plus fort des louveteaux, mordirent les pattes de la biche tandis que le loup strié de blanc enfonçait ses crocs dans sa chair, faisant gicler le sang. La mère poussa un cri de douleur. Les parents loups se jetèrent sur le faon et le plaquèrent au sol. La pauvre bête se débattit, mais elle n'était pas armée contre les crocs acérés et les corps pesants de ses assaillants.

Les autres louveteaux s'avancèrent à leur tour, suivis de Nelson. Mais le petit chien s'arrêta à quelques mètres de la scène du massacre. Instinctivement, il savait que le faon était un animal tout jeune. Dans son esprit, un jeune animal était un compagnon de jeu, un joyeux complice. Incrédule, il vit la louve mordre la gorge du faon. La bête glapit sous la douleur fulgurante. La biche l'observa un moment, le cœur brisé, puis s'enfuit dans la nuit, pour sauver sa propre vie. Elle savait que son enfant n'avait plus que quelques secondes à vivre. À cent mètres de là, le père entendit les cris de son petit, mais lui aussi avait compris ce qui se passait. Il ne tenterait pas d'arrêter les loups. Tandis que la biche fuyait dans l'obscurité, les loups se rassemblèrent autour de leur victime. La louve se gorgeait de sang frais, pendant que les autres adultes mordaient les talons de leur victime. La vie quittait lentement le corps du jeune animal.

Toute la meute était là. Il était inutile de rapporter l'animal dans leur tanière, maintenant que les louveteaux étaient présents. Ils allaient dévorer leur proie tous ensemble. Les parents loups lui arrachèrent les entrailles et se régalèrent de leur butin. Les adultes et les jeunes prirent le relais, arrachant des lambeaux de chair tendre avec délectation. L'odeur du sang emplissait l'air.

Nelson observait la scène avec effroi. Il sentait que tuer et manger leur victime faisaient partie de la nature profonde des loups. Mais ce n'était pas celle de Nelson. Le chien éprouvait de l'affection pour ces animaux, en particulier pour les louveteaux, surtout à l'époque où ils vivaient ensemble dans la tanière. Au moment de cette boucherie, il éprouvait un tout autre sentiment. Il se sentait seul, étranger. Ce n'était tout simplement pas dans sa nature du tuer un être vivant, contrairement aux loups. Ce n'était pas non plus le but de son existence. S'il avait rencontré le faon seul, il aurait pu devenir son compagnon de jeu.

Les chiens descendaient des loups. Il y a plusieurs millénaires, les humains recueillaient les bébés loups, abandonnés dans la nature après la perte de leurs parents, tués par des ours ou d'autres prédateurs. Nourris autour des feux de camps, les louveteaux, mus par leur sens naturel de la hiérarchie, trouvèrent leur place au sein des tribus humaines. Peu à peu, ils firent partie intégrante de la société humaine. Les hommes étaient doués par domestiquer les animaux et avec le temps, les caractéristiques des loups propres à cohabiter avec les hommes s'étaient renforcées. À mesure que les loups évoluaient en chiens, au travers de leurs interactions avec l'homme, leur nature s'était adaptée. Comme ils se nourrissaient de restes, ils n'avaient plus besoin de chasser. Ainsi, ils avaient perdu ce besoin irrépressible de tuer qui faisait l'essence même des loups. Les chiens n'avaient jamais développé un réel goût pour la chasse, au-delà de leur passion pour le jeu. Ils demeuraient d'éternels adolescents à l'échelle des loups, des animaux aimants et joueurs par nature.

Ainsi, Nelson resta interdit en assistant à la mise à mort du faon. À ce moment-là, alors qu'il assistait à ce spectacle, il éprouva pour la première fois l'envie de quitter ces créatures. Les louveteaux tant aimés se muaient en autre chose, quelque chose qu'il ne serait jamais. Quand le loup au pelage strié se retourna et le transperça de son regard tranchant comme un poignard, le chien frissonna du plus profond de ses entrailles.

30.

Tout animal qui sentait un changement dans l'air avait l'instinct premier de le nier, de continuer à vivre comme si de rien n'était. Nelson avait vécu tant de bouleversements au cours de sa brève existence. Mais son corps commençait à être las de tout cela. Il avait appris à se mouvoir avec agilité sur ses trois pattes, mais l'accident lui avait beaucoup coûté. Durant ses premiers mois avec les loups, le chien s'était senti en sécurité. Mais la nuit où ils rentrèrent tous ensemble de leur chasse, les parents loups poussèrent pour la première fois Nelson et les louveteaux hors de la tanière. Nelson ne résista pas, mais se sentait triste. Il ne savait pas qu'il s'agissait du premier d'une série de rejets qui conduiraient finalement les parents loups à chasser leurs enfants de la meute, pour conserver leur position de chefs au sein du clan. Les louveteaux fonderaient leur propre meute, si jamais ils survivaient à la vie sauvage. Telle était l'existence des loups. Dans la relation complexe entre les chiens et leurs maîtres humains, se quitter ne faisait pas partie du plan préétabli. Un chien ne perdait jamais son désir de rester avec son maître humain. Quand le Grand Amour était scellé, il ne s'éteignait jamais.

Nelson ne dormit guère cette nuit-là, malgré la tiédeur rassurante des louveteaux à ses côtés. Ses trois camarades l'enveloppaient telle une douce couverture. Quand il pleurnicha un peu au milieu de la nuit, empêtré dans d'étranges rêveries, ses trois complices le léchèrent doucement et le taquinèrent du museau. Mais le petit chien ne parvint pas à se rendormir, sentant la présence toute proche des adultes.

La mère louve avait élevé Nelson comme l'un de ses petits pendant plusieurs mois. Elle ne savait pas pourquoi son apparence était si différente et son odeur légèrement distincte au début de celle des bébés loups. Mais elle n'avait aucune raison de s'interroger sur ce genre de choses. Son cerveau l'avait enregistré comme un louveteau, le jour de leur rencontre, et son instinct maternel avait pris le dessus. Elle l'avait élevé comme les autres, en le nourrissant, lui prodiguant sa chaleur et le protégeant des prédateurs.

À présent, elle percevait de plus en plus sa différence. Les louveteaux étaient passés de créatures adorables et joueuses à de puissants loups adultes, qui apprenaient l'art de la chasse et de la mise à mort. Bientôt, ils devraient s'exiler de leur tanière. Mais que faire de Nelson ? Le chien n'évoluait en rien comme les loups. Une partie de la louve l'aimait comme son propre enfant. Mais elle n'avait rien d'une créature aimante, contrairement aux chiens ou aux hommes. La sécurité de la meute et sa domination sur le clan aux côtés du mâle dominant étaient ses préoccupations principales.

Nelson sentait l'antipathie croissante de sa protectrice. Il s'approchait moins d'elle et passait son temps à batifoler avec les jeunes loups de son mieux. En grandissant, les louveteaux étaient devenus des partenaires de jeux difficiles. Souvent, le petit chien se mettait sur le dos en gémissant pour leur signifier sa soumission. Leurs divertissements étaient plus agressifs depuis qu'ils avaient rejoint la meute pour leurs pérégrinations nocturnes, telle une métaphore de la chasse et de la tuerie. Ils se mordaient entre eux jusqu'au sang et Nelson était contraint de s'assujettir pour éviter les blessures.

Le lendemain du massacre du faon, les loups se préparèrent à repartir pour une nouvelle traque. Nelson craignait de rester seul dans la tanière, mais il ne voulait pas aller chasser avec ses comparses. Il s'assit et resta immobile. Quand la meute se coula lentement dans la nuit tombante, la matriarche se retourna et grogna après le retardataire. Le désir de tuer le chien à trois pattes lui effleura l'esprit pour la première fois. Pendant que son clan s'enfonçait dans les ténèbres, elle avança lentement vers Nelson, dardant sur lui son regard impitoyable. Ce petit animal perturbait l'ordre des choses. Nelson roula sur le dos, priant que la louve le laisse tranquille. Mais la bête sauvage gronda de plus belle en lui montrant ses crocs acérés. Nelson avait la chair de poule. Sa protectrice était sur le point de l'exterminer.

Au loin, le père loup aboya avec force. La mère devait les rejoindre pour la chasse. Au sein de la meute, seul le mâle dominant avait un plus grand pouvoir que le sien, aussi se détourna-t-elle à regret et se mit à courir pour rejoindre ses compagnons. Nelson se remit sur pattes, tremblant de terreur.

Si le petit chien était resté sur le territoire des loups cette nuit-là, il aurait été tué par les loups. Cela, il ne le saurait jamais. Après le départ du clan, il resta un moment assis sans bouger, le nez au vent. Transi de froid, il se faufila dans la tanière un moment, tentant de se réchauffer. Mais en l'absence des corps des loups, le repaire était glacial. Dépité, Nelson retourna dehors et huma l'air de la nuit. Il déterra l'os de cerf que l'un des loups avait enterré et le rongea pour en sucer la moelle. Cela apaisa sa faim pendant quelques heures.

Les chiens ne raisonnaient pas comme les humains. Nelson ne prit pas consciemment la décision de quitter le territoire des loups. Mais la peur qui s'était logée dans son cœur, depuis que la mère louve avait menacé de le tuer, ne le quittait plus. Partout autour de lui planait l'odeur intense et menaçante du mâle aux stries blanches. Et sa solitude du moment ne faisait que renforcer sa terreur. Au début, Nelson s'éloigna lentement de la tanière, prenant la direction opposée à celle des loups. Mais bientôt, il courait à perdre haleine dans la nature sauvage.

Au retour de la meute, le chien avait disparu. Son odeur ondoyait encore dans l'atmosphère et dans la tanière. La matriarche capta fugitivement sa fragrance dans la brise et, l'espace d'un instant, pensa à le prendre en chasse. Mais après le festin qu'elle venait de faire et les trois litres d'eau qu'elle avait bus, elle n'avait d'autre envie que de dormir. Déjà, dans son esprit, Nelson n'était plus l'un des leurs. Regagnant la tanière, la louve s'endormit, et rêva de sang.

Lorsque le loup strié remarqua à son tour le départ de son ennemi juré, une vague de triomphe déferla en lui. Il avait prouvé sa domination sur le petit animal. En revanche, les louveteaux éprouvèrent une certaine détresse à l'idée de leur frère perdu. Le plus faible des trois ressentait plus cruellement encore son absence. Il serait désormais le plus chétif de la bande, le dernier à se nourrir, et devrait constamment se soumettre au reste du clan. Mais cette infériorité serait en réalité une bénédiction. Ses deux frère et sœur seraient chassés du clan deux mois plus tard par leurs parents. Le plus fort des deux gronda après sa mère, un soir où elle se nourrissait la première. Le lendemain, son père le mordit et le jeune loup s'enfuit dans les terres sauvages. Le second prit le même chemin quelques jours plus tard. Ces deux jeunes loups ne résisteraient pas aux dangers de l'inconnu et mourraient quelques mois plus tard, faute d'avoir trouvé une meute. Mais le plus faible des trois resterait neuf ans avec les siens, longtemps après que ses parents auront vieilli et été remplacés à la tête du clan par d'autres adultes.

Cette nuit-là, le couple dominant était tout-puissant dans sa tanière. Mais quelques années plus tard, il serait affaibli par un hiver particulièrement rigoureux, et quitterait le clan pour aller mourir sous un grand arbre.

31.

À présent, Nelson courait. D'abord, il s'était éloigné au pas, sans but précis. Mais sans s'en rendre compte, il se retrouva bientôt loin de son dernier foyer et renifla un ours ou un coyote dans le vent. Il se mit alors à galoper dans l'obscurité, trébuchant sur les branchages et les buissons, frôlant parfois les tanières d'autres animaux de toutes tailles.

Un observateur extérieur aurait vu là une créature bien misérable. Un chien à trois pattes efflanqué, aux longs poils emmêlés, crasseux à faire peur, et à l'odeur répugnante. Si Nelson s'était allongé sous un arbre et laissé mourir, personne au monde ne l'aurait remarqué. Les feuilles d'automne portées par la brise auraient recouvert son corps et les petits animaux et les vers l'auraient progressivement fait disparaître de la surface de la terre. Aucun cœur n'aurait été brisé. Katey, Thatcher et Lucy, comme tous ceux dont l'existence avait été brièvement touchée par Nelson, n'auraient jamais su que c'était la nuit où il avait quitté ce monde pour toujours.

Confus, transi de froid et affamé, Nelson ne savait pas où aller. L'odeur du loup lui évoquait désormais le danger, mais les habitats humains ne lui inspiraient pas non plus confiance. Sa nature curieuse l'avait incité à partir à l'aventure, plusieurs années auparavant, et à présent son nez avait répertorié et catalogué d'innombrables essences du monde. C'était un creuset de connaissances, de senteurs, d'émotions, d'espoirs et de peurs entremêlés. C'était la partie la plus puissante de sa conscience, sa carte kaléidoscopique d'un monde rude. Cette carte le guidait désormais, et quelque part dans les limbes de son cerveau canin, il voulait vivre, il voulait survivre. S'étendre sous un arbre et se laisser mourir sous le clair de lune froid ne lui vint même pas à l'esprit. Il suivrait son odorat pour trouver un lieu de vie plus clément.

32.

Rick Doyle n'était pas un attrapeur de chien typique. Depuis l'âge de huit ans, il adorait l'histoire et s'était pris de passion pour la guerre de Sécession. Son intérêt pour le sujet avait grandi avec les années, renforcé par de grands professeurs et une pile de livres d'histoire que son grand-père lui avait laissée. Au moment de choisir son cursus universitaire, il n'eut pas besoin de réfléchir. Mais une fois son diplôme en poche, le monde s'écroula sur lui comme un mur de briques. Son prêt étudiant ne faisait qu'augmenter et son amour pour l'histoire ne payait pas ses dettes. Il vit une annonce postée par Animal Services dans la ville de Chico, en Californie, à environ six cents kilomètres de Los Angeles, où il avait obtenu son diplôme de premier cycle. Chico était la « cité des roses », une charmante ville historique, dotée de parcs magnifiques et d'une université.

Rick avait toujours adoré les chiens, comme les chats d'ailleurs. Il ne nourrissait pas pour les animaux la même passion que pour l'histoire, mais il les appréciait suffisamment pour trouver le poste relativement intéressant, en attendant de terminer son diplôme de master, et qui sait, obtenir un poste d'enseignant. En plus des horaires pratiques, il serait plus ou moins son propre patron et ne serait pas contraint d'évoluer dans un environnement de bureau. Il aurait tout le temps de réfléchir à l'histoire pendant qu'il sillonnerait en voiture les rues de la ville, à la recherche des animaux errants. En quelques mois, tout ce temps passé à réfléchir dans sa camionnette lui donna l'idée d'un livre et bientôt, l'écriture de cet ouvrage devint l'activité favorite de ses soirées. Son livre sur la vie des soldats inconnus pendant la guerre de Sécession lui prendrait vraisemblablement plusieurs années, aussi renonça-t-il à terminer ses études.

Rick était un homme extrêmement intelligent, qui réfléchissait à la finalité de son travail. Au début, il se demanda s'il valait mieux emprisonner les animaux abandonnés ou les laisser libres dans la rue. Quel sort était préférable pour ces bêtes ? À l'évidence, les animaux errants représentaient un risque sanitaire pour les humains. Mais peu après, Rick passa une journée entière au refuge et constata que certains animaux, une fois toilettés, trouvaient leur place dans le cœur et le foyer d'êtres humains. Quand une famille quittait le chenil avec son petit protégé, un amour naissant se lisait dans le regard des humains comme de l'animal. Comme Chico était une petite ville, Rick voyait parfois ces familles promener leur nouvel animal domestique dans les rues.

Les chats trouvaient facilement un foyer heureux auprès des humains, pourtant Rick doutait de l'intérêt d'emprisonner des chats sauvages. Ces bêtes s'étaient échappées de leur maison, voire n'avaient jamais vécu auprès des hommes, et étaient retournées à la vie sauvage. Elles s'étaient habituées à se débrouiller seules, à chasser des animaux pour se nourrir – des petits rongeurs et des oiseaux, qu'elles prenaient plaisir à tuer. Elles ne dépendaient pas des sources d'alimentation humaines. Souvent, Rick trouvait des chiens errants agrégés autour de tas d'ordures ou de poubelles, où ils cherchaient leur repas du jour. Sans cela, ces chiens ne pourraient pas survivre, car ils étaient de piètres chasseurs. Contrairement aux chats.

Rick capturait toutes sortes de chiens errants, grands et petits. Certains ne vagabondaient que depuis quelques jours, d'autres depuis des semaines, quelques-uns depuis des années. Parfois, quand il lisait dans le regard d'un chien, il regrettait de ne pas connaître son histoire – les contrées qu'il avait traversées, les créatures qu'il avait rencontrées, les épreuves qu'il avait affrontées pour survivre. Certains chiens étaient agressifs, mais la majorité se montraient passifs, plus effrayés qu'autre chose. Il arrivait que les chiens errants se déplacent en bande. Dans ces cas-là, Rick réussissait à en capturer plusieurs à la fois, pendant que les autres détalaient sans demander leur reste. Il les revoyait traîner les jours suivants.

L'employé de la fourrière pouvait placer six animaux dans sa petite camionnette, équipée de six cages encastrées dans le fond. Il patrouillait trois heures et revenait généralement au chenil le véhicule rempli d'animaux abandonnés. Souvent, il participait à leur vaccination, premier traitement administré aux nouveaux pensionnaires. Cela ne faisait pas partie à strictement parler de son travail, mais il avait sympathisé avec Angie, la femme qui se chargeait quotidiennement de cette tâche, et il aimait lui prêter main-forte. Il était toujours très satisfaisant de voir un chien pouilleux être transformé en un charmant animal domestique. Le simple fait d'interagir avec des hommes améliorait généralement l'humeur de ces bêtes perdues. Celles-ci jouaient avec l'eau et se régalaient de leur premier repas au refuge. Rick quittait souvent des animaux heureux et revigorés, ce qui lui réchauffait le cœur. Le soir même, il travaillait avec entrain à son livre historique pendant trois ou quatre heures. Une odeur de chien imprégnait ses vêtements, ce qui pouvait rebuter les femmes qu'il invitait chez lui, mais cela ne le dérangeait pas.

Rick savait qu'un faible pourcentage des chiens qu'il ramenait au refuge trouverait une famille d'accueil. Il n'avait jamais visité la fourrière, où les animaux non désirés étaient exterminés. Ce bâtiment était distinct du refuge, situé dans la ville de Chico. Angie lui avait confié que c'était un endroit particulièrement sinistre, aussi n'avait-il jamais eu le courage de s'y rendre. Parfois, tard le soir, il se demandait si le fait de capturer des animaux abandonnés faisait de lui un meurtrier. Certains d'entre eux mourraient en effet à la fourrière. Cette idée semblait absurde, étant donné que beaucoup de chiens étaient recueillis par des gens formidables. Mais que dire des autres ? Ne valait-il pas mieux les laisser vagabonder dans les rues, où au moins ils restaient en vie, à défaut de trouver un foyer parmi les humains ?

Parfois, quand Rick voyait un chien âgé, malade, blessé, soumis, agressif ou particulièrement triste, il hésitait à le prendre dans ses filets. Les chances pour un tel animal d'être adopté étaient en effet minimes. Ainsi, il lui était arrivé de laisser un animal en liberté, persuadé qu'il ne trouverait personne pour le recueillir. Mais ce choix le torturait et il avait fini par s'en ouvrir à Angie. Sa confidente avait été furieuse après lui. En vingt ans, elle avait souvent été surprise par le choix des animaux adoptés. Des chiens sans avenir apparent trouvaient grâce après de charmantes personnes. Elle accusa Rick de se prendre pour Dieu en décidant quel animal méritait d'être ramené au refuge. Profondément affecté par ses remontrances, Rick dîna quelques semaines plus tard avec sa collègue et ils reparlèrent posément de ce sujet sensible. Après quoi, l'homme se jura de ne plus jamais laisser à dessein un animal livré à son propre sort.

Lorsque l'employé vit le petit chien à trois pattes errer dans les rues, par une froide journée d'hiver, il s'interrogea néanmoins sur l'intérêt de le ramener au refuge. Il savait que cette pauvre bête ne serait jamais adoptée. Avec ses trois pattes décharnées, le malheureux se déplaçait avec peine. Sa race était difficile à déterminer. Ses longs poils touffus et emmêlés étaient couverts de poussière, d'herbe et de bestioles. Rick voyait littéralement les puces grouiller dans la fourrure de la malheureuse bête, qui s'arrêtait régulièrement pour se gratter. Comment cette misérable créature avait-elle pu survivre ? Finalement, un élan de pure compassion incita Rick à recueillir l'animal. Même si personne ne voulait de lui, il pourrait bénéficier d'un bon bain et de repas revigorants. Puis il dormirait quelques jours au chaud avant d'être conduit à la fourrière. Cela valait certainement mieux que de mourir dans la rue, dans la bise hivernale.

Quand Rick descendit de sa camionnette et s'approcha de l'animal, le chien leva sur lui un regard triste et interrogateur, mais ne s'enfuit pas. L'homme et l'animal se jaugèrent quelques instants. Mais au moment où Rick voulut l'attraper dans son filet, le petit chien aboya avec force. L'homme s'accroupit et s'approcha prudemment. Le chien aboya de nouveau, puis déguerpit sur la route. Rick le prit en chasse. En dépit de ses trois pattes, l'animal se déplaçait rapidement et Rick fut essoufflé quand il réussit enfin à l'acculer dans un cul-de-sac, contre un mur de briques. Le chien gronda en le regardant droit dans les yeux. Le jeune homme s'avança avec son filet et parvint à piéger le chien dans ses mailles. Comme il aboyait furieusement, Rick lui injecta un sédatif à l'aide de la seringue qu'il avait toujours sur lui, et quelques minutes plus tard, Nelson s'affala par terre, endormi.

Puis il transporta l'animal groggy dans sa camionnette et le déposa dans l'une des cages. À demi réveillé, Nelson contempla l'homme de son regard implorant. Rick ne connaîtrait jamais l'histoire de son nouveau compagnon. Le chien lui-même n'avait guère de souvenirs de l'année qu'il venait de passer à sillonner l'Amérique, après son séjour au sein des loups. Mais il avait survécu, et aurait pu continuer à se maintenir en vie, si l'employé du refuge ne l'avait pas capturé ce jour-là. Il avait suffisamment d'expérience pour trouver de la nourriture et rester en vie. Guidé par son odorat, il était toujours aussi curieux, quand la faim et le froid ne le tenaillaient pas.

Au refuge, les effets du sédatif s'étant amenuisés, Nelson paniqua. Il se rappelait l'odeur de la précédente fourrière, et même s'il ne respirait pas les relents fétides de la mort dans le refuge de Chico, il n'en avait pas oublié la terrible pestilence, bien au contraire.

33.

Le nez de Nelson était sa boussole. Ce n'était pas un instrument scientifique, à la précision redoutable, mais un outil profondément mystérieux, d'une sagesse ancestrale, qui faisait parfois des miracles.

C'était son nez qui l'avait conduit en Californie. Nelson avait parcouru des milliers de kilomètres depuis qu'il avait quitté le royaume des loups. Il avait suivi un chemin tortueux à travers les villes, les routes, les montagnes et les forêts d'Amérique. Souvent, il souffrait du froid et de la faim, mais son incroyable volonté lui permit de survivre. Comment expliquer aux créatures qui n'avaient pas l'odorat extrêmement développé de Nelson ce qui l'avait poussé à venir en Californie ? Les essences des sols arides, synonymes pour lui de chaleur et de soleil. Les senteurs des fruits portées par les alizés sur des milliers de kilomètres. L'odeur lointaine de la mer et du sel. Nelson ne connaissait pas la texture salée des embruns charriés par les vents, mais cela l'intriguait énormément. Quelque part, au plus profond de sa mémoire, il associait cette fragrance avec l'odeur de l'océan qui emplissait l'animalerie de Boston où Katey l'avait trouvé. Nelson ne se disait pas que son odorat l'avait finalement conduit dans un autre chenil. Si son cerveau avait pu faire la connexion entre ces différentes informations, il aurait sans doute blâmé ses sens pour avoir échoué à lui éviter un tel sort. Mais jamais il ne doutait de son nez. Néanmoins, il paniqua en pénétrant dans le chenil. Depuis qu'il avait quitté les loups, il évitait soigneusement tout endroit dont l'odeur lui rappelait le refuge du Montana. Celui de Chico était chaleureux et bien éclairé, en comparaison de son expérience passée. L'endroit était aussi bien plus spacieux, et au moins six employés y travaillaient à plein temps. Nelson percevait leur gentillesse. Oui, l'odeur de mort était absente, mais les attributs du refuge ne laissaient aucun doute sur le type d'endroit où Nelson avait atterri.

Comme Angie était très occupée et n'avait pas le temps de lui faire sa toilette dans l'immédiat, Rick enferma le chien dans une cage. Aussitôt, Nelson poussa un hurlement aigu, intense et incontrôlable, qui semblait surgir du plus profond de son petit être. Son hurlement mit tous les employés du chenil à l'agonie. Certains chiens l'écoutèrent sans réagir, d'autres se mirent à hurler à leur tour, comme si l'instinct ancestral du loup s'était éveillé en eux. Un chœur mystérieux s'éleva du refuge et se répandit dans la rue, piquant la curiosité des passants.

Rick posa la cage par terre et tenta de calmer l'animal par des flatteries. Nelson avait oublié la sensation des caresses humaines. Au début, il résista à ces marques d'affection et continua à hurler, mais au bout de quelques minutes, les grandes mains chaudes et la voix douce de l'homme l'apaisèrent, si bien qu'il s'allongea sur le sol, soumis. Mais dès que Rick fit mine de partir, le chien se remit à hurler, aussi resta-t-il auprès de lui jusqu'à ce qu'Angie soit prête à lui faire sa toilette. Quand il ouvrit la porte, le chien rampa lentement à l'extérieur, tout en étudiant attentivement son nouvel environnement.

Nelson ne vivait plus auprès des humains depuis très longtemps. Angie, qui avait une grande expérience des chiens, s'approcha de lui avec une confiance tranquille. Cependant, une partie de Nelson était devenue sauvage et se méfiait des humains. Instinctivement, le chien mordit l'inconnue, la blessant à la main. La femme fit un pas en arrière et s'employa à désinfecter sa main, sans quitter l'animal des yeux. Puis, sous le regard de Rick, elle se baissa à la hauteur du chien et lui parla avec douceur. Elle patienta cinq minutes pendant que Nelson l'observait avec attention. Enfin, elle tendit la main pour permettre à l'animal de la renifler, ce qu'il s'empressa de faire. Nelson frissonna d'émotions. Au moment où il respira la fragrance d'Angie, où il s'imprégna pleinement de son odeur, son Grand Amour lui revint brutalement à la mémoire. Une sensation intense, qui en quelque sorte brisa les murs que son séjour prolongé dans la nature sauvage avait érigés autour de son cœur.

Il la lécha gentiment. Angie le laissa faire un moment. Un quart d'heure plus tard, elle prenait le chien dans ses bras et lui donnait un bain. Cette expérience que le chien n'avait pas vécue depuis tant d'années lui procura une grande sérénité. Après tout ce temps passé au cœur de la nature, il éprouvait une sensation de froid perpétuelle, jusque dans ses os. La tiédeur de l'eau s'insinua lentement dans tout son être, tandis qu'Angie le massait doucement. Elle changea l'eau trois fois et le frictionna à l'aide de différents shampoings. Rick et elle n'avaient jamais vu une telle crasse sur un animal. Enfin, après le troisième bain, Angie se dit que le chien commençait enfin à être propre. Après l'avoir séché à l'aide d'une serviette, elle le reposa dans sa cage. Ses poils longs et emmêlés avaient besoin d'une bonne coupe, mais il valait mieux pour cela attendre qu'il soit tout à fait sec.

Nelson s'allongea tranquillement. Rick était parti, mais le chien se sentait en sécurité en compagnie d'Angie. Il inhala l'odeur fraîche de sa fourrure et s'abandonna au sommeil. Angie le réveilla un peu plus tard et Nelson se remit à gémir doucement. Elle le rassura et le posa sur la table de toilettage. Progressivement, elle coupa les touffes de poils épais et emmêlés. En atteignant enfin la peau du chien, elle poussa un profond soupir. Elle avait vu des dizaines de chiens décharnés dans sa vie, mais celui-là n'avait que la peau sur les os. Elle discernait aussi les contours de la plaie où sa patte avait été amputée. Elle le caressa doucement, en se demandant quelle était son histoire.

L'animal à trois pattes leva les yeux sur elle, et ils se jaugèrent un moment. Angie adorait les chiens, bien évidemment. Mais il était rare qu'elle verse une larme pour l'un des innombrables animaux qui étaient passés entre ses mains. Pourtant, quelque chose dans le regard de Nelson l'émut profondément. Quand elle eut dégagé son museau de tout ce fatras de poils, son regard reflétait une tristesse encore plus intense. Pour la première fois, elle distingua la couleur très particulière de son pelage. Ses yeux étaient incroyablement tristes, et néanmoins animés d'une forte curiosité, une caractéristique qu'il communiquait toujours aux humains.

Angie ne tailla guère la queue de Nelson. Elle n'était pas très emmêlée et plutôt propre, après trois bains. Quand elle lui gratta la tête, il remua lentement sa magnifique queue. Elle déposa un baiser sur la tête du chien. Rick lui avait donné un bol de croquettes à son arrivée, mais Angie brisa les règles du chenil en partageant avec Nelson son propre repas, après l'avoir réchauffé au four à micro-ondes. Le chien se régala des morceaux de poulets et de macaroni au fromage que sa nouvelle amie lui donna.

Pendant deux semaines et demie, Nelson mangea copieusement au refuge et reprit des forces. Il savourait la nourriture pour chiens qu'on lui donnait, ainsi que quelques morceaux des plats que les employés et Angie lui glissaient en douce. Au bout de quelques jours, Angie fut soulagée de ne plus voir les côtes de Nelson saillir sous sa peau.

Une fois toiletté, Nelson fut installé dans le bâtiment principal, où l'on plaçait les chiens destinés à l'adoption. La salle était immense, comparée à celle de la fourrière du Montana. Environ trente chiens étaient candidats. Nelson se retrouva dans la cage dévolue aux petits chiens, avec trois autres. Comme il n'était pas d'humeur joueuse, il passait le plus clair de son temps allongé et grognait après les chiens qui tentaient de l'approcher. Il dormit tout son soûl. Le bruit des autres animaux et les voix des humains qui allaient et venaient ne le perturbaient pas du tout. Sa longue errance dans la nature sauvage exigeait une vigilance permanente et une quête inlassable de nourriture. Maintenant qu'on lui servait deux repas par jour, il pouvait enfin se détendre. Son corps avait été bien malmené les années précédentes et avait besoin de panser ses plaies. Aussi sommeillait-il constamment.

Ses rêves furent plus intenses que jamais. Son odorat avait catalogué mille nouvelles odeurs depuis qu'il s'était échappé de la fourrière du Montana, mais dans son désir de survivre, il n'avait pas pu toutes les analyser. Pendant que son cerveau récupérait enfin de ses longs mois d'errance, il se mit à organiser les senteurs de son subconscient, à les grouper et les interconnecter entre elles. Ainsi, les songes du chien étaient un mélange d'odeurs aux configurations uniques. Le cerveau de Nelson était le résultat de millions d'années d'évolution canine et une logique unique présidait aux songes du chien pendant son sommeil. Une logique de survie, de perfectionnement de son nez, de sa boussole.

Aucune pestilence de mort n'imprégnait l'agréable refuge californien. Par moments, Nelson était sur ses gardes, car l'endroit ressemblait beaucoup au chenil du Montana, avec tous ces chiens en cage dans une immense salle, et le ballet quotidien de ces humains à la recherche d'un compagnon à quatre pattes. Un univers bien trop familier pour Nelson, qui ressentait parfois une peur panique. Mais il avait besoin de repos et était bien trop épuisé pour craindre l'avenir.

Quelques visiteurs, venus dans le refuge de Chico pour ramener un animal domestique, remarquèrent Nelson. Certains admirèrent les couleurs de son pelage, la curiosité pénétrante de son regard. D'autres trouvaient même que c'était un magnifique spécimen. Mais dès qu'ils remarquaient l'amputation de sa patte, ils rejetaient aussitôt l'idée de l'adopter. Personne ne voulait d'un chien à trois pattes pour animal domestique.

34.

Le refuge du Montana autorisait les chiens à rester une semaine avant d'être exterminés. À Chico, une semaine supplémentaire était accordée aux animaux avant leur transfert à la fourrière, de l'autre côté de la ville. Quelques années plus tôt, un acteur de télévision hollywoodien originaire de Chico avait fait une importante donation au refuge. L'argent avait été intelligemment géré, de sorte que l'établissement bénéficiait de grandes ressources. En deux semaines, les chiens avaient souvent la chance de trouver un propriétaire adéquat. La procédure était familière à Nelson. Une personne ou un groupe de personnes traversaient la salle en examinant les chiens un par un. Elles désignaient parfois un animal, qui était conduit dans la cour, où homme et bête faisaient connaissance. Quand un humain s'attachait à un chien, l'animal était mis en laisse et confié à son joyeux nouveau propriétaire, qui l'emmenait aussitôt dans le bureau administratif pour signer les documents d'adoption. Nelson observait les heureux élus quitter les lieux en frétillant de la queue. L'espoir ne quittait jamais son cœur. Chaque fois que des humains passaient devant sa cage, il les observait d'un regard brillant et remuait gaiement sa queue touffue. Parfois, il reconnaissait un sourire sur leurs visages, mais ils passaient toujours leur chemin. Le chien ne savait pas pourquoi. Au fil des jours, son corps avait recouvré une grande partie de ses forces après sa longue errance, et l'angoisse s'insinua progressivement en lui.

Angie, comme Rick, sut dès qu'elle vit Nelson qu'il serait extrêmement difficile de trouver une famille désireuse d'adopter un chien à trois pattes. Elle n'en discuta pas avec Rick, tant elle craignait de faire ressurgir leur différend : ne valait-il pas mieux parfois laisser un chien dans la nature ? Mais quand elle était allongée près de son mari endormi, la nuit, la bouille du petit chien lui revenait sans cesse à l'esprit. Comme pour tant d'autres animaux du chenil, elle se demandait si elle devait adopter tel ou tel animal qui risquait de ne pas trouver une maison. Malheureusement, elle vivait dans un immeuble qui n'acceptait pas les animaux. Peu à peu, elle interrogea ses proches pour savoir s'ils ne seraient pas prêts à recueillir un animal très spécial.

Rick se trouvait dans une situation similaire. Il ne pouvait pas prendre Nelson chez lui. Il vivait en effet seul dans un appartement. Qui prendrait soin de lui durant la journée ? Il ne pouvait pas non plus l'emmener à son travail. Rick n'avait pas de famille dans la région, mais il demanda à quelques amis s'ils pouvaient adopter Nelson.

D'autres employés de la fourrière s'étaient attachés au petit chien. Mais à mesure que les deux semaines de délai pour l'adoption de Nelson s'écoulaient, personne ne semblait intéressé. Angie le savait. Rick aussi. Nelson, lui, ne savait pas qu'il ne lui restait que quelques jours à vivre. Pourtant, un frisson lui parcourait l'échine. Sept longues années dans la nature sauvage lui avaient appris à sentir l'approche du danger. Il ne se rappelait pas sa fuite de la fourrière du Montana. Seulement de la puanteur de la mort qui imprégnait les lieux. Plusieurs fois, il avait eu l'opportunité de s'échapper de sa cage et détaler dans le refuge de Chico. Mais l'endroit était immense, et le personnel nombreux, de sorte qu'il ne voyait aucune issue.

Au cours de sa brève et intense vie, Nelson avait surmonté bien des épreuves et vécu mille aventures, certaines heureuses, d'autres douloureuses. Certains chiens du refuge se contentaient de rester allongés, fatigués de la vie. Ils avaient été mordus trop souvent, ou trop éprouvés par la faim. Être envoyé à la fourrière serait en quelque sorte un soulagement pour eux. Pas pour Nelson. Peu importaient les ténèbres sur son chemin, il ressentait toujours une joie incommensurable quand il respirait l'odeur de l'herbe dans l'air. La bonne cuisine le faisait frissonner de plaisir. Les moments affectueux passés avec les humains restaient dans son souvenir un grand bonheur. Et il demeurait curieux du monde qu'il n'avait pas encore exploré. Dans des périodes de solitude, quand il avait les yeux clos, il sentait sa propre respiration, l'air inspiré et expiré de ses petits poumons. Le chien ne contemplait pas le miracle de la vie comme les humains. Il ne pensait ni ne philosophait sur Dieu. Néanmoins, cette expérience de la respiration était puissante, viscérale, pour le petit animal, et annihilait sa peur. Dans ces moments-là, Nelson était persuadé qu'un jour, il retrouverait son Grand Amour. Ainsi, sa volonté de vivre ne faillirait jamais.

La veille du départ prévu de Nelson pour la fourrière, Angie vérifia sur l'ordinateur du bureau d'accueil qu'elle ne s'était pas trompée de jour. Elle avait accepté l'idée que le chien devait mourir. Elle ne pouvait en effet le garder indéfiniment au refuge, car d'autres chiens méritaient aussi une chance d'avoir une vie meilleure. Mais elle voulait s'assurer qu'il bénéficierait d'adieux décents. Elle avait évoqué cette idée avec Rick, et tous deux s'étaient mis d'accord pour donner au chien un bain chaud avant de l'envoyer à la fourrière, lui qui aimait tant cela. Ils lui serviraient également un steak et des œufs préparés par Angie le matin de son départ. Rick compara ce dernier repas avec celui d'un condamné à la peine capitale. À la différence que Nelson n'avait commis aucun crime.

Quand Angie le fit sortir de sa cage ce matin-là, Nelson sut immédiatement que quelque chose n'allait pas. La jeune femme était affectueuse, mais elle se montra particulièrement aimante et attentionnée avec lui, et lui caressait la tête sans discontinuer. Dans la salle de nettoyage, Rick regarda Angie baigner doucement le chien, puis le sécher. Nelson adorait la chaleur. C'était toujours une sensation nouvelle après des centaines de nuits froides. Pourtant, il percevait la tristesse de ses deux compagnons, et ne parvenait pas à se l'expliquer.

Après son bain, Rick prit le petit chien dans ses bras, pendant qu'Angie lui donnait des morceaux de viande et d'œufs coupés en petits morceaux. La nourriture était savoureuse, pour le grand plaisir de Nelson. Rick lui gratta la tête. Après son repas, il joua avec ses deux protecteurs. Il lécha leurs visages et remua la queue, puis secoua un animal en peluche qu'Angie conservait dans la salle de toilettage. Nelson ne savait pas pourquoi les yeux de Rick et Angie étaient brillants.

La jeune femme devait toiletter d'autres chiens. Rick, lui, avait pris sa matinée, de sorte qu'il pouvait jouer tranquillement avec Nelson. Le petit chien s'assoupit bientôt dans les bras de son bienfaiteur. Il ne comprenait toujours pas pourquoi il était l'objet de toute cette attention, mais il était heureux d'en bénéficier. Alors qu'il s'endormait dans la fragrance humaine caractéristique de Rick, Nelson éprouva une grande béatitude. À une époque, il fuyait les humains. Il avait vécu parmi les loups, ses ancêtres. Mais à ce moment-là, quelques heures seulement avant l'heure prévue de sa mort, il ressentit dans son cœur une grande sensation de bien-être et eut le sentiment soudain d'avoir trouvé sa place dans le monde en tant que chien. Il était intimement lié à la race humaine. Être un chien signifiait être éternellement lié à cette autre mystérieuse espèce. Dans son petit cœur canin, tout ce qu'il voulait, c'était rester pour toujours dans les bras de Rick.

Trois chiens étaient censés être exterminés ce jour-là. Un vieux pit-bull qui ne voulait plus vivre. Un bâtard costaud, issu d'un croisement entre un berger allemand et un labrador, un peu trop turbulent au goût des visiteurs en quête d'un animal domestique. Et Nelson. À 11 h 30, l'employé de la fourrière vint prendre livraison des trois chiens. Il chargea d'abord les deux plus gros dans sa camionnette. Après quoi, s'ensuivit une certaine confusion quand ce fut le tour de Nelson. En effet, il n'était pas dans sa cage, et personne ne semblait savoir où il se trouvait. Un employé se rappela alors que Rick et Angie l'avaient emmené dans la salle de toilettage.

L'homme de la fourrière se rendit à l'endroit indiqué et frappa à la porte. Nelson s'était assoupi sur les genoux de son compagnon. Doucement, Rick répondit qu'il transporterait lui-même le petit chien dans la camionnette. Nelson dormait toujours quand Rick lui fit traverser le couloir jusqu'au bureau administratif. Là, l'employé de la fourrière remplit les papiers nécessaires à la prise en charge des trois chiens. Pendant ce temps, Angie et Rick caressaient Nelson, qui s'était réveillé et reniflait l'atmosphère avec appréhension. Ses deux amis tentaient de le calmer. Quand l'employé de la fourrière se déclara prêt à partir, Rick lui tendit Nelson, après lui avoir dit au revoir. Angie l'embrassa à son tour en guise d'adieu. Encore à moitié endormi, Nelson fut placé dans la camionnette. L'homme n'était pas agressif, mais ne témoignait aux animaux aucune affection. Depuis longtemps, il avait appris à ne pas s'attacher aux chiens qu'il transportait des refuges de la ville à la fourrière. La camionnette comptait six cages, toutes pleines. Nelson se retrouva avec un autre petit bâtard, qui gémissait faiblement. Lentement, ils prirent le chemin de la fourrière, qui se situait à dix minutes de là.

Dès leur arrivée, Nelson sentit la mort. Il paniqua et se mit à bondir comme un forcené dans sa cage en poussant des hurlements incontrôlés. L'employé avait déjà vu ce genre de comportement. Il ne rassurerait pas l'animal par des caresses. Sa boîte à gant contenait une série de sédatifs. À l'aide d'une longue seringue, il injecta une dose à Nelson, qui s'effondra, les yeux à demi-clos. Le monde se fondit dans un brouillard.

Malgré le puissant calmant, Nelson sentait toujours la mort tout autour de lui. Nelson et ses deux compagnons d'infortune furent transportés dans la salle d'attente de la fourrière. Là, le petit chien attendit près du crématorium, pendant que ses comparses étaient emmenés vers leur fatal destin. Il entendit l'ultime aboiement du pit-bull triste, puis le glapissement d'effroi du croisé, au moment de quitter ce monde.

Nelson ne vit pas Rick Doyle pénétrer dans la petite salle d'attente, en compagnie d'un autre homme et d'un jeune garçon. Des mots furent échangés entre Rick et les employés de la fourrière, puis des documents passèrent de main en main. Le petit chien ne comprenait toujours pas ce qui se passait quand Rick, l'homme et l'enfant inconnus vinrent lui caresser la tête.

Le garçonnet le prit dans ses bras, plutôt maladroitement, et l'emporta vers la liberté. Nelson sombra dans un profond sommeil.

IV.

Retour au bercail

35.

C'est Oliver qui sauva la vie de Nelson. Son père était contre l'idée d'adopter l'animal. Mais quand l'enfant entra dans sa chambre à 2 heures du matin, incapable de dormir et en pleurs parce qu'il ne cessait de penser au malheureux chien à trois pattes, il finit par céder et lui promettre d'adopter le chien à la première heure le lendemain matin.

Le père d'Oliver, Jake, avait été baptisé Jacob par ses parents, des immigrants mexicains convaincus que leur enfant né américain devait porter un nom biblique. Jacob était un choix plutôt inhabituel pour l'époque, mais sa mère avait voulu lui trouver un prénom spécial, qui le distinguerait. À dix ans, tout le monde l'appelait « Jake ». L'amour de sa vie était une femme américaine, d'origine allemande et irlandaise, du nom de Laurie. Ils s'étaient rencontrés au lycée. Laurie était partie pour l'université, mais après quatre années d'absence, elle était revenue plus belle que jamais. Jake la demanda en mariage quelques semaines après son retour, et elle accepta sans hésitation. Laurie tomba enceinte l'année suivante et donna naissance à un petit garçon. Il fut baptisé Oliver, comme le grand-père de Laurie, mort pendant le débarquement en Normandie. La jeune femme cessa de travailler pour s'occuper de son fils et Jake eut la lourde responsabilité de subvenir aux besoins de sa petite famille. Son magasin de réparations de voitures prit de l'essor, grâce à son efficacité et ses prix abordables. L'attitude posée du jeune homme rassurait les clients, et les femmes n'étaient pas insensibles à son charme.

Jake avait beau être un homme pragmatique, il fut incapable de trouver des solutions pratiques à la mort de sa femme de vingt-huit ans. Cela ne faisait pas partie de ses plans de vie. Lui qui appréciait sa petite routine prévoyait de passer une vie longue et heureuse avec une grande famille. Les premiers signes apparurent quand Laurie se plaignit d'être constamment fatiguée. Jake mit son épuisement sur le compte de sa vie de jeune maman. Mais un jour, elle s'affala brusquement par terre. Affolée, elle appela son mari, qui revint aussitôt à la maison et l'emmena à l'hôpital. Les médecins procédèrent à une batterie interminable d'examens et finirent par en conclure qu'elle était atteinte d'une affection très rare du système immunitaire. C'était une maladie très étrange, une aberration génétique. Elle mourut un mois plus tard.

Jake était anéanti. Leur petit garçon, Oliver, fut tout d'abord complètement perdu. Jake expliqua à l'enfant que sa maman était partie et Oliver lui demanda quand elle allait revenir. Malheureusement, elle ne reviendrait pas, lui expliqua son père. Puis, en y réfléchissant, il se dit que son fils méritait la vérité. Il lui avoua alors que sa maman était morte. Comprendre la mort n'était pas une chose naturelle chez les enfants. En fait, ce n'était pas plus naturel chez les adultes. Souvent, Jake restait éveillé la nuit, incrédule à l'idée de la mort de sa femme. Comment une présence aussi belle, aussi vibrante et tendre dans sa vie avait-elle pu disparaître ? Laurie n'existait littéralement plus, puisqu'elle avait demandé à être incinérée. Il ne pouvait se résoudre à effacer son nom de son mobile. Des mois après, plusieurs fois par jour, il se surprenait encore à composer son numéro pour l'appeler.

Oliver semblait s'en tirer à bon compte. Mais la nuit, il se débattait dans son sommeil, luttant contre les cauchemars. Deux ans après la mort de sa mère, il entrait encore dans la chambre de son père au milieu de la nuit, apeuré par les serpents et les tigres affamés de ses songes. La mère de Jake, Norma, l'aidait à s'occuper de son fils durant la journée, et Jake réduisit ses horaires de travail au magasin de réparations de voitures pour passer plus de temps avec son fils. Il ne savait pas vraiment à quel point l'enfant était affecté de l'intérieur. Très inquiet pour son équilibre mental, il se demandait si la mort de sa mère l'avait perturbé de manière irréversible. Ainsi, la crise de larmes de son fils au milieu de la nuit pour le chien à trois pattes n'était pas à prendre à la légère.

La veille, un dimanche, ils avaient rendu visite à des amis qui faisaient un barbecue. Père et fils mangeaient leur hamburger tout en discutant avec leurs cousins, quand Jake remarqua qu'Oliver écoutait la conversation d'une table voisine. Un homme parlait de sa nièce qui travaillait dans un refuge animalier et avait essayé de convaincre tous les membres de sa famille d'adopter un animal estropié. L'homme raconta que le chien n'avait plus que quelques jours à vivre avant d'être endormi pour toujours. Sur le ton de la plaisanterie, il ajouta que bien sûr, c'était une histoire triste, mais qui voudrait d'un chien à trois pattes ? Bon imitateur, il mima la démarche d'un chien à trois pattes, déclenchant l'hilarité de l'assemblée. À sa table, les gens gloussaient sans retenue.

Soudain, Oliver se mit à crier et hurler après le plaisantin, lui reprochant d'être cruel et méchant. Jake le calma et s'excusa auprès de l'homme pour le comportement de son fils. Une fois ses larmes séchées, Oliver déclara qu'il voulait sauver le chien à trois pattes, et pour éviter tout conflit, son père lui répondit qu'il était d'accord et qu'il demanderait à l'homme le nom du refuge où travaillait sa nièce. En fait, il n'était pas certain de vouloir adopter l'animal, mais il désirait apaiser son fils en public. Jamais il ne l'avait vu dans un tel état émotionnel. Oliver avait hérité du tempérament doux de son père, si bien que son obsession pour le chien était totalement imprévisible. L'enfant continua à parler du chien toute la journée et passa la nuit à pleurer sur le sort de l'animal, aussi Jake lui promit-il d'aller le chercher le lendemain au chenil.

Mais à leur arrivée, le matin de l'extermination prévue de Nelson, ils découvrirent que le chien n'était plus là. Oliver en eut le cœur brisé. Il se mit à sangloter de façon hystérique, comme jamais il ne l'avait fait, même après la mort de sa mère. L'enfant ne cessait de répéter que le chien était mort.

Jake s'accroupit et prit l'enfant dans ses bras, sous le regard désolé du personnel du refuge. Bouleversé par le chagrin incontrôlable de son fils, il ne remarqua pas qu'un employé parlait au téléphone du chien à trois pattes. Quel soulagement pour Jake de découvrir que le chien était encore vivant et qu'ils pouvaient aller le chercher à la fourrière.

Écoutez *Home* :
www.youtube.com/watch?v=ofgE2QRdyQY.

36.

Nelson rêva de son Grand Amour. Il était de nouveau un chiot. Katey le nourrissait, le baignait, jouait avec lui. Il s'étendait sous son grand piano, se laissait pénétrer par le flux de la musique. Bientôt, ils iraient se promener ensemble. Les réminiscences odorantes de son enfance le submergeaient et le rassuraient. Ces souvenirs seraient toujours plus forts que tout le reste. Ces moments avec Katey avaient déterminé l'essence même de Nelson. Son premier propriétaire resterait pour toujours son Grand Amour. Il en était ainsi pour tous les chiens.

Encore sous l'effet des sédatifs, Nelson se réveilla groggy. Il se trouvait dans une pièce chaude, inondée de lumière, sur un lit de vieux oreillers confortable. En ouvrant les yeux et se reconnectant avec la réalité, il prit conscience de la présence de l'enfant assis à son côté. Le garçon s'approcha et le serra dans ses bras. Les enfants dégageaient une odeur plus pure que les adultes, ce que Nelson trouvait rassurant. Le petit appela quelqu'un, et peu après un homme entra dans la pièce. C'était l'homme qui accompagnait l'enfant à la fourrière. Le garçon tendit le chien à son père, qui le souleva et lui caressa la tête.

Nelson ne se rappelait pas les événements de la veille, mais il se sentait totalement en paix dans les bras de l'inconnu. Jake reposa l'animal sur les oreillers. Encore dans les vapes, Nelson s'installa confortablement tandis que l'homme quittait la pièce, pour revenir peu après avec un bol de lait chaud agrémenté de morceaux d'omelettes. Nelson se leva et mangea tranquillement la nourriture chaude. Il était affamé. Le gamin le caressa pendant qu'il mangeait.

Plus tard dans la journée, Oliver emmena Nelson dans leur petite cour. Une partie était pavée, l'autre herbeuse. C'était un jardin pauvre, visuellement parlant, mais riche de mille odeurs. Les roses en pots dégageaient des effluves délicats, dont Nelson se reput avec bonheur. Comme Oliver voulait jouer avec lui, Nelson alla obligeamment chercher la balle que l'enfant lui lança. Un jeu si simple, en comparaison de sa douloureuse survie ces dernières années.

Jake était impressionné par l'habileté du chien sur ses trois pattes. Il était fier de l'instinct de son fils, qui lui avait dicté de sauver le malheureux animal. À la fin de la journée, l'idée que le bâtard estropié aurait pu être exterminé, s'ils ne l'avaient pas sauvé de la fourrière, lui était devenue intolérable. Nelson leva sur Jake son curieux regard clair et remua sa queue touffue. Père et fils surent alors qu'ils avaient affaire à un bon gardien. Toute la tristesse d'Oliver s'envola et Jake en fut infiniment reconnaissant à leur nouveau compagnon.

Tous deux réfléchirent à un prénom pour leur protégé et finirent par choisir Jupiter, la planète préférée d'Oliver. Le père pressentait que ce prénom ne convenait pas au chien, mais son fils était enthousiaste. Bientôt, Nelson répondait à son nouveau prénom.

Le chien dormit beaucoup durant les premières semaines dans sa nouvelle maison. La récupération initiée à la fourrière se poursuivait. Il reprit du poids et peu après, développa un petit ventre, caractéristique des chiens âgés. Jake essaya de lui donner de la pâtée pour chiens et des croquettes, mais Nelson refusait catégoriquement d'y toucher. L'un des avantages de sa vie de vagabond, toutes ces années durant, était la nourriture humaine. Se nourrir avait été une lutte permanente et ses papilles s'étaient habituées aux restes humains. Les aliments pour chiens n'avaient ni odeur ni saveur, aussi était-il déterminé à ne plus jamais y goûter, quelles que soient les circonstances. Au début, cela inquiéta un peu Jake, dont les amis affirmaient que la cuisine humaine était nocive pour l'estomac canin. Mais d'autres assuraient au contraire que la nourriture pour chiens était une invention humaine, vieille d'une centaine d'années à peine, alors que les chiens se nourrissaient de restes humains depuis des millénaires. Jake finit par adopter cette position, même si en réalité il n'avait pas vraiment le choix. Nelson refusait toute autre alimentation.

Oliver et son père lui donnaient des morceaux de bœuf, de poulet, du riz et de l'omelette. Jake avait entendu dire que les carottes étaient bonnes pour la vue des chiens, or Nelson les adorait. Il croquait des bébés carottes inlassablement, ainsi que des quartiers de pomme. Peut-être les considérait-il comme des os à ronger, se disait Jake. Ainsi, il prit l'habitude de le nourrir de restes, en évitant toutefois les épices. Les aliments étaient systématiquement chauffés ou bouillis pour détruire les germes. Oliver adorait la pizza et s'aperçut bientôt que le chien partageait son engouement. Au début, l'enfant lui donnait des morceaux froids le lendemain, puis finit par partager avec lui sa pizza, le jour même où son père en commandait une, généralement le week-end. Oliver coupait une part en petits bouts pour son compagnon à trois pattes, qui les gobait joyeusement.

Oliver et sa grand-mère, Norma, promenaient le chien tous les jours, après le retour de l'enfant de l'école. Âgée de plus de quatre-vingts ans, Norma avait une prothèse au niveau de la hanche, de sorte qu'elle marchait lentement. Cela ne gênait pas du tout Nelson, qui prenait tout son temps pour renifler les alentours. Cette banlieue entre la classe ouvrière et la classe moyenne, dotée de petites maisons, comptait une population bigarrée, avec une atmosphère communautaire. Plusieurs chiens habitaient le quartier, que Nelson put bientôt identifier à leur odeur. Certains le reniflaient avec insistance en le croisant dans la rue. Parfois, des humains se moquaient de ses trois pattes, mais ils étaient impressionnés par son adresse, en dépit de son infirmité.

Norma développa une grande affection pour l'animal qu'elle connaissait sous le nom de Jupiter. C'était une femme attachée à la tradition, qui avait grandi dans une petite ville du Mexique et émigré aux États-Unis à l'âge de sept ans. Souvent, le matin, elle s'asseyait tranquillement avec l'animal sur une balançoire dans la cour de la maison de son fils. Assoupi sur ses genoux, le chien aboyait de temps à autre en entendant un bruit ou en voyant un oiseau voleter non loin de là. Quand il se réveillait et commençait à fureter partout, la vieille femme rentrait un moment dans la maison, où elle se plaisait à faire la vaisselle en écoutant la radio. Norma adorait écouter de vieux tubes, qu'elle fredonnait doucement.

Norma habitait un petit appartement proche de la maison de son fils et avec l'âge, elle ne venait le voir qu'à l'heure où Oliver rentrait de l'école. La journée, Nelson restait donc seul, derrière un portail sécurisé, ou dans la petite buanderie au fond de la maison, par temps froid. L'animal n'avait pas conscience de sa propre vulnérabilité et se donnait au contraire le rôle de protecteur de la maisonnée en l'absence de Jake, Oliver et Norma. Le matin, il aboyait après le facteur ou tout autre visiteur qui se présentait quand personne n'était là – témoins de Jéhovah, démarcheurs ou amis. Jake riait quand ses proches lui disaient quel féroce gardien était son petit chien.

Quand Oliver rentrait de l'école, Nelson bondissait autour de lui avec fougue, la queue frétillante et la langue pantelante. Il s'était rapidement réadapté à l'existence auprès des humains. C'était son mode de vie préféré. Son cerveau conservait des milliers de souvenirs olfactifs que le chien domestiqué moyen n'avait jamais rencontrés. Les odeurs emplissaient ses rêves la nuit et parfois, il les discernait dans les brises provenant de quartiers distants. Mais jamais ne lui prenait l'envie de retourner à la vie sauvage et à son existence de vagabond.

La nuit, Nelson dormait dans le lit d'Oliver. Désormais, l'enfant se couchait à 21 heures tous les soirs et dormait profondément jusqu'à 6 h 30 environ. Au début, granny Norma n'approuva pas de voir un animal dans le lit de son petit-fils, pour des questions d'hygiène. Mais à mesure que son affection pour le chien grandissait, elle finit par cesser ses récriminations. Oliver passait une demi-heure à jouer avec Nelson le soir, après quoi ils faisaient leur toilette. Parfois, Jake s'asseyait sur le lit et se joignait à leurs jeux. Un samedi, il avait dégoté un gros rat en peluche au supermarché du coin, qui faisait désormais partie du quotidien du chien. Nelson prenait le jouet dans sa gueule et le secouait dans tous les sens. Oliver faisait alors semblant de vouloir le lui prendre et Nelson grognait gentiment, pour jouer. Père et fils riaient de bon cœur, sans savoir que leur protégé reproduisait le jeu auquel il jouait il y a plusieurs années. Ils ne savaient pas non plus qu'il avait vu un jour des loups massacrer un faon et que ses amusements avec des animaux en peluche étaient l'expression de sa nature aimante, au-delà de l'instinct tueur des loups. Jake étreignait son fils pour lui souhaiter bonne nuit, puis Oliver fermait les yeux, le chien tout contre lui. Quand l'enfant se réveillait le matin, entendre le chien ronfler près de lui le rassurait. Oliver demanda plusieurs fois à son père si les chiens rêvaient, ce à quoi Jake répondit que les songes canins étaient peuplés d'odeurs, contrairement à ceux des humains.

Nelson faisait parfois des cauchemars, mais depuis son arrivée chez Jake et Oliver, ses rêves étaient plus paisibles. Il rêvait continuellement de Katey, son Grand Amour, et se réveillait au milieu de la nuit, désespéré de la retrouver. Il adorait Oliver, Jake et granny Norma, mais dans son cœur canin était enracinée une loyauté indéfectible, et même après toutes ces années, il désirait être de nouveau avec son Grand Amour, la protéger, la servir, la rendre heureuse, l'aimer. Son désir était plus fort que jamais. Parfois, il rêvait qu'elle vivait dans sa nouvelle maison, mais malgré ses efforts, il ne parvenait pas à la trouver. Il imaginait aussi que Don essayait de lui faire du mal et qu'il se muait en loup pour la protéger des coups de Don. Parfois, l'odeur fétide de la fourrière du Montana l'enveloppait, et l'adrénaline le poussait à fuir une mort certaine. Nelson aboyait alors férocement, incapable de faire partir la puanteur. Il se réveillait en sursaut et cherchait Katey partout. Il reniflait la chambre d'Oliver, entendait la respiration lourde de l'enfant, sentait son souffle. Rassuré, il lui léchait affectueusement le visage. La pièce, paisible et chaude, balayait les angoisses du chien, qui replongeait dans le sommeil. Mais ses rêves reprenaient alors leur cours.

37.

La première fois que Jake ressentit la morsure du chagrin, ce fut à la mort de son père, quelques années avant l'arrivée de Nelson. Avant cela, la mort n'était pour lui qu'une idée abstraite. Quand des amis ou des connaissances perdaient un membre de leur famille, il leur présentait ses condoléances. Mais ce n'est qu'après la disparition de son père qu'il eut l'impression de vraiment comprendre la douleur que l'on éprouvait en période de deuil. Il lui était impossible de décrire son sentiment de perte. L'un de ses amis disait en plaisantant que quand vous perdiez un parent, vous entriez dans un club très spécial, dont les membres avaient vécu une expérience unique, que personne d'autre ne pouvait réellement appréhender. Jake trouvait cette description pertinente. Le chagrin lui-même était une affection corporelle, plutôt que mentale. Oui, les émotions étaient puissantes, mais les fonctions corporelles étaient instinctives. Les larmes coulaient de façon incontrôlable à des moments incongrus. C'était une sensation douloureuse, brute, presque primale.

Sa femme, Laurie, était restée à ses côtés et l'avait réconforté, au moment de la mort de son père. Avant, Jake ne trouvait jamais les mots justes face à un proche qui avait perdu un être cher. Mais au décès de son père, il se rendit compte qu'une personne en deuil n'avait pas besoin de mots de réconfort. Seulement d'une présence, pour lui faire savoir qu'il n'était pas seul au monde. Une main douce, une étreinte sincère. Dans ces moments-là, les mots étaient inutiles.

La perte était toujours la perte, le chagrin toujours le chagrin, se répétait-il sans relâche à propos de sa femme, Laurie. Perdre son père et perdre Laurie étaient des expériences quantitativement semblables. Pourtant, il avait l'impression du contraire. Avec Laurie, en plus de sa tristesse, il avait le sentiment d'avoir été spolié. Spolié de plusieurs années avec elle, spolié des autres enfants qu'elle aurait portés, spolié des vieux jours qu'ils auraient passés en famille. Ce profond sentiment de spoliation se mêlait à sa détresse en une mixture toxique. Ces émotions le tourmentèrent durant des mois avant de s'apaiser, et même si sa mère et sa famille faisaient tout pour le réconforter, leur sollicitude lui rappelait constamment que Laurie n'était pas là pour l'épauler et le rassurer, comme elle l'avait fait lors du décès de son père.

La seule chose qui l'empêchait de sombrer était son fils. Il était déterminé à être un père fort pour Oliver, à chaque minute passée avec lui. Sans lui, Jake serait allé complètement à la dérive, mais il avait maintenu fermement le cap par amour pour son enfant. Avec l'arrivée de Nelson, il se sentit libéré d'une partie de la responsabilité qui lui incombait pour aider son fils à traverser cette épreuve. L'amour de Nelson était si débordant qu'Oliver était heureux auprès de son petit chien à trois pattes.

Norma le pressa de sortir de nouveau un an environ après la mort de Laurie. D'un point de vue rationnel, c'était sans doute la meilleure chose à faire. Jake était un homme séduisant, que beaucoup de femmes auraient été enchantées de fréquenter. Le veuf alla à un rendez-vous ou deux. Une fois, il ramena même une femme chez lui pour la nuit. Mais il ne parvint pas à se résoudre à lui faire l'amour, et elle abandonna la partie. Son attitude envers cette jolie femme lui laissa un sentiment de culpabilité. Aussi décida-t-il de cesser tout rendez-vous galant tant qu'il ne serait pas prêt. Cette attitude frustrait Norma, si désireuse d'avoir des petits-enfants autour d'elle. Mais Jake lui expliqua que les choses en allaient ainsi.

Nelson était avec Oliver et Jake depuis environ six mois au moment du deuxième anniversaire de la mort de Laurie. Cela tomba un dimanche. Père et fils revêtirent leurs plus beaux vêtements pour passer un peu de temps sur la tombe de son père. Les cendres de Laurie avaient été éparpillées près de la rivière, mais ce jour-là, Jake éprouva le besoin de s'asseoir à un endroit spécifique pour se recueillir. Il apporta un gros bouquet de fleurs colorées et les déposa sur la tombe. Comme il était assis, Nelson bondit sur ses genoux pour le ragaillardir. Oliver versa quelques larmes, mais Nelson lui lécha les mains, distrayant rapidement l'enfant. Nelson et Oliver jouaient gentiment, pendant que Jake se recueillait.

Nelson ne pensait guère à la perte de son membre. À l'occasion, un effluve particulier lui rappelait peut-être l'époque où il marchait sur quatre pattes. À présent, il lui en manquait une, mais cela lui semblait naturel. Parfois, par une nuit froide, sa cicatrice le démangeait un peu ou lui causait une douleur sourde. Quand Jake et Oliver le voyaient lécher dans la région de son membre absent, ils lui donnaient un antidouleur, prescrit par le vétérinaire à leur demande. Étant donné sa petite taille, Nelson avait une espérance de vie plus longue que celle des gros chiens et vivrait de belles années avant de souffrir des maladies qui affectaient d'ordinaire les espèces de grande taille dès leur jeune âge. Les chiens les plus grands, comme les grands danois, ne vivaient pas plus longtemps que les loups, six ou sept ans environ, même dans une maison humaine aimante. Jake et Oliver ne connaissaient pas l'âge exact de Nelson, mais le vétérinaire leur avait dit que c'était un animal adulte. Ils ne pouvaient deviner que le chien avait passé la date de son dixième anniversaire sans le fêter. Néanmoins, son corps se raidit quelque peu à cette époque. Sa marche et sa course étaient clairement moins agiles. Au moins une fois par mois, il faisait une chute, ce qui ne se produisait jamais encore peu de temps avant.

Les premiers signes de la vieillesse de l'animal effrayèrent Jake. L'un des problèmes que risquait de rencontrer Nelson, l'avait averti le vétérinaire, était l'arthrite et le raidissement des articulations, une affection qui touchait les chiens âgés, mais menaçait d'apparaître plus tôt chez lui, étant donné la pression supplémentaire subie par les articulations de ses trois pattes. Le soir, Jake massait le petit corps de Nelson, et montra à son fils comment procéder. À l'évidence, le chien adorait cela.

Un matin, Jake s'apprêtait à se rendre à son travail quand Oliver l'appela depuis le rez-de-chaussée, visiblement paniqué. Il donnait son petit déjeuner à Nelson quand brusquement, le chien s'était assis et refusait depuis de se relever. Quand ils voulurent le forcer à marcher, le chien gronda. Il semblait beaucoup souffrir. Oliver était bouleversé. Jake parvint néanmoins à convaincre son fils d'aller à l'école en lui promettant que Nelson irait bien à son retour.

Le chien, qui avait toute confiance en son maître, se laissa soulever et envelopper avec délicatesse dans une couverture. Puis Jake le déposa sur la banquette arrière de sa voiture. Chaque fois que l'animal tentait de bouger ses pattes, il ressentait de douloureux élancements au niveau des membres. Le trajet chez le vétérinaire était bref. Une fois arrivé, Jake transporta précautionneusement Nelson à l'intérieur, en flattant sa petite tête.

Jake et Nelson aimaient beaucoup le Dr Richards, une jeune femme d'une trentaine d'années, à fois compétente et affectueuse avec les animaux. Elle expliqua à Jake qu'elle était pratiquement sûre que Nelson souffrait de problèmes de calcification au niveau des articulations, mais qu'elle devait faire une série de radios pour confirmer son diagnostic. Ces examens seraient couverts par l'assurance-santé qu'il avait prise quelques mois auparavant. Si le docteur ne se trompait pas, le petit chien irait beaucoup mieux après une injection de cortisone.

Jake retourna au travail pour quelques heures. Nelson le regarda partir d'un air si implorant qu'il repensa à sa femme avec une profonde tristesse, ce qui ne lui était pas arrivé depuis des mois. Il fut soulagé de voir le vétérinaire sourire à son retour. Mieux, Nelson marchait en laisse à côté de la jeune femme, un peu lentement peut-être, mais d'un air enjoué. En voyant son maître, il remua allègrement la queue.

Le Dr Richards lui apprit que les radios confirmaient la calcification des articulations, mais que l'injection de cortisone était efficace contre la douleur et permettrait à l'animal de marcher sans trop de difficultés. En dehors de ce problème, Nelson était en très bonne santé, déclara-t-elle. Nelson leva les yeux sur eux, comme s'il savait qu'ils parlaient de lui, et agita de nouveau la queue. Le vétérinaire conseilla à Jake de le garder à la maison et de le surveiller attentivement les prochaines semaines.

Oliver était heureux de voir que Nelson allait bien, même si ses déplacements étaient un peu lents pendant leurs jeux de l'après-midi. Norma, elle aussi très attachée à l'animal, était déterminée à bien s'occuper de lui, comme l'avait conseillé le vétérinaire.

Tous les matins, quand la vieille femme arrivait chez Jake, elle massait le chien dans le salon, tout en écoutant la radio. Elle se disait qu'il valait mieux rester au chaud pour les articulations de Nelson. Le chien semblait apprécier ce traitement qui, Norma l'espérait, lui accorderait peut-être quelques années de vie supplémentaires. Cependant, rien ne l'avait préparée aux étranges événements qui se produiraient la semaine suivante.

38.

Norma adorait la musique. Enfant, au Mexique, elle filait de chez elle sans la permission de ses parents et écoutait les mariachis à travers les murs du club chic situé dans la rue principale de sa ville natale. Cette musique lui donnait l'impression de voyager dans un univers à part, un monde où elle éprouvait un bonheur infini. Quand sa famille avait émigré en Amérique, elle avait été fascinée par l'éclectisme de la musique pop. Par bien des aspects, ces découvertes musicales avaient défini son existence.

Sur les stations de radio qui passaient des vieux tubes, des chansons lui rappelaient le lieu où elle les avait écoutées pour la première fois. Elle se remémorait alors les temps difficiles, les moments heureux, les nombreux changements subis par son pays. Très jeune, elle avait remarqué que la majorité des chansons parlaient d'amour. Ce mot apparaissait si souvent dans les mélodies qu'elle se demandait pourquoi ce sujet passionnait tant de gens.

Norma avait toujours adoré les Beatles. Leurs mélodies étaient à la fois joyeuses et inspirées, leurs paroles originales et intelligentes. Quel plaisir pour la vieille dame d'entendre, par une belle matinée ensoleillée de Californie, *Here Comes The Sun*.

Mais son plaisir fut de courte durée. La réaction du chien à trois pattes bouleversa en effet sa session d'écoute matinale.

Inexplicablement, Nelson bondit de ses genoux et se mit à sautiller frénétiquement autour d'elle, comme si son problème articulatoire n'existait pas. Quel ballet étrange ! Soudain, le chien se mit à hurler. Un long feulement perçant, proprement obsédant. Norma eut l'impression qu'il souffrait horriblement. Elle avait beau l'appeler, il ne répondait pas et continuait à sautiller autour d'elle en hurlant de plus en plus fort. Quand elle éteignit la radio, il s'arrêta brutalement. Un moment, il demeura immobile, comme en transe. Puis il revint lentement à la vie et s'approcha de la vieille dame ahurie pour lui lécher les pieds.

Le soir même, Norma raconta à son fils le comportement incongru de l'animal. Alors que Jake s'inquiétait, Oliver fit juste remarquer que Nelson devait aimer cette chanson. Après le dîner, sur une impulsion, Jake se rendit dans le grenier et fouilla parmi sa vieille collection de vinyles, qu'il avait religieusement constituée quand il était adolescent. Elle comptait de nombreux disques des Beatles, dont Abbey Road, l'album contenant *Here Comes The Sun*. Jake avait encore son vieux tourne-disques et prévoyait de faire écouter ce son d'autrefois à son fils dans quelques années. Pourquoi pas maintenant ? Il descendit la platine avec l'album Abbey Road.

Toujours intéressé par les activités familiales, Nelson vint fouiner autour d'eux. Jake brancha la platine et la mit en marche. Elle fonctionnait encore, même après tout ce temps dans le grenier. Il nettoya l'album soigneusement et le plaça sur le tourne-disque. *Here Comes The Sun* était la première chanson de la face B. L'ouverture familière des ukulélés se répandit dans la pièce. Tout le monde observa attentivement Nelson. Un moment, il se contenta de les fixer, se demandant pourquoi tous l'observaient avec autant d'attention. Mais quand Jake se mit à taper du pied et battre des mains en cadence, Oliver se joignit à eux. Et de nouveau, les souvenirs de Katey fredonnant cette mélodie au jeune chiot déferlèrent dans l'esprit du chien, les rythmes familiers et les structures mélodiques se bousculant dans son esprit canin. Comme le matin, Nelson ressentit le désir irrépressible d'être auprès de son Grand Amour, Katey. Il n'avait trouvé aucun autre moyen d'exprimer son désarroi que de hurler à la mort. Si elle l'entendait, elle finirait peut-être par le rejoindre. Il avait besoin de marquer son territoire, à la manière des loups, pour que Katey puisse trouver auprès de lui un espace sûr et chaleureux.

Comme Norma, Jake fut immédiatement frappé par le désespoir de ce feulement plaintif. Il s'inquiétait aussi beaucoup de la pression que cette danse exerçait sur ses articulations. Mais Oliver trouvait le ballet du chien à trois pattes hilarant. Il pleurait de rire à voir le chien sautiller ainsi, et se mit à danser avec lui en imitant le hurlement de Nelson. Rapidement, Jake ôta la tête de lecture du disque et la musique se tut. Son fils lui demanda pourquoi il avait arrêté la musique. Jake s'agenouilla pour caresser la petite tête de Nelson, qui peinait à se calmer et observait toute la famille d'un air éploré. Il expliqua à son fils que le petit chien était triste et qu'ils ne devaient plus le faire danser de la sorte.

Jake ne parvint pas à dormir cette nuit-là. Il savait que les chiens étaient sensibles à la musique, mais sa réaction était disproportionnée. Souvent, il s'était interrogé sur le passé de son protégé, sur les épreuves qu'il avait endurées. Peut-être avait-il été maltraité ? Jake espérait que non. Le chien à trois pattes avait sauvé son fils, aussi le défendrait-il jusqu'à la mort.

Le souvenir des étranges événements de la journée se dissipa peu à peu. Nelson semblait bien récupérer de ses raideurs articulatoires, et la vie reprit son cours. Ce n'est que trois mois plus tard que toute cette histoire revint sur le tapis. Sur l'insistance de Norma, Jake organisa un barbecue pour la fête nationale du 4 juillet. Sa mère le pressait de se sociabiliser davantage et toute sa famille ne comprenait pas pourquoi il se terrait chez lui. Finalement, Jake invita tout le monde. En fait, il était heureux de voir tous les membres de la famille qu'il n'avait pas revus depuis l'enterrement de Laurie. Malheureusement, plusieurs femmes invitées à dessein par ses amis le mettaient mal à l'aise. Clairement, elles espéraient sortir avec lui. Jake dut rabrouer Tony, son irritant cousin, qui parlait toujours fort et était un peu ivre, quand il commença à l'interviewer avec sa caméra à propos d'une certaine jeune femme rousse que son épouse avait emmenée au barbecue en pensant jouer les entremetteuses.

Jake était en train de faire griller de la viande quand il entendit la mélodie de *Here Comes The Sun* se déverser du salon. Comme on pouvait s'y attendre, le hurlement de Nelson s'éleva au bout de quelques secondes. Paniqué, Jake mit rapidement toute la viande du gril sur un plat de côté et se précipita à l'intérieur. Dans le salon, cinq ou six membres de la famille tapaient du pied et battaient la mesure dans leurs mains, pendant que Nelson accomplissait sa rituelle danse sautillante. Jake comprit qu'Oliver avait dû mettre le disque pour distraire la famille par le ballet comique de Nelson. Un peu éméchés, les invités se moquaient du chien. Jake fut en colère contre Oliver pendant un moment, mais il savait que son fils ne pensait pas à mal. Doucement, il éteignit le tourne-disque et la musique s'arrêta. Des râles de déception s'élevèrent. Un moment, Jake perdit son calme et cria à tout le monde de laisser l'animal tranquille. Il s'agenouilla et cajola le chien dans ses bras. Conscient d'avoir mal agi, Oliver s'assit près de lui, mal à l'aise, et l'observa tout en caressant Nelson. Bientôt, l'animal s'apaisa, mais il garda son air triste et désespéré tout le reste de la journée. Cette nuit-là, quand Jake embrassa son fils pour lui souhaiter bonne nuit, le petit chien le regarda longuement de ses grands yeux éplorés.

39.

Plusieurs mois plus tard, Jake reçut un étrange appel de son cousin Tony. Il ne parlait pas très souvent à son cousin, qui l'appelait généralement pour lui emprunter de l'argent au sujet d'une affaire scabreuse. C'est pourquoi Jake hésita quand il vit le nom de son cousin apparaître sur l'écran de son portable. Finalement, il décida de prendre l'appel et d'en finir au plus vite. Durant quelques instants, ils échangèrent des plaisanteries. Après quoi, un silence gênant s'installa et Jake attendit la requête de son cousin. Cette fois, il était déterminé à lui refuser un prêt, étant donné tous ceux qui n'avaient pas été honorés.

Mais ce n'était pas de l'argent que voulait Tony. Son cousin lui expliqua qu'il avait reçu d'innombrables courriers électroniques d'une femme qui voulait à tout prix le contacter et lui demanda s'il pouvait lui communiquer ses coordonnées. Croyant qu'il s'agissait d'un nouveau stratagème monté par Norma pour lui trouver une compagne, Jake répondit d'un ton abrupt qu'il n'était pas intéressé. Mais Tony lui expliqua que cette femme ne cherchait pas à le rencontrer pour des raisons romantiques. Elle affirmait en fait que le chien à trois pattes était à elle. Jake inspira profondément. De quoi diable parlait Tony ? Son cousin bredouilla pendant quelques minutes, jusqu'à ce que Jake lui intime de cracher le morceau. Tony admit alors avoir tourné des vidéos du chien en train de clopiner et hurler sur la chanson des Beatles, le jour du barbecue. Jake fut furieux d'apprendre que son cousin avait mis ces vidéos sur Internet. Aussitôt, il lui demanda si Oliver apparaissait sur ces images. Malheureusement, la réponse était oui. Jake s'emporta et demanda à son cousin comment il avait pu diffuser des vidéos de son fils accessibles au monde entier. Tony s'empêtra dans de vagues explications, déclarant que des milliers de vidéos avec des animaux rigolos circulaient sur le Net et qu'il avait pensé que la danse du chien à trois pattes ferait un malheur. C'est alors que ses pensées se tournèrent vers la femme. Qui était-elle ? Son cousin n'avait que très peu d'informations sur l'inconnue, excepté qu'elle vivait à Los Angeles. Elle était désespérée de pouvoir le joindre pour lui parler du chien qui, d'après elle, était le sien.

Pendant plusieurs jours, Jake réfléchit aux informations que Tony lui avait fournies. Qui pouvait bien être cette femme qui prétendait être l'ancienne propriétaire de Nelson ? Si c'était la vérité, voudrait-elle le reprendre ? En une année passée avec Nelson, Jake avait compris combien la petite créature était spéciale. Qui ne voudrait pas récupérer un tel animal s'il en avait l'occasion ? Si jamais cela se produisait, Oliver aurait le cœur brisé. Parfois, tard dans la nuit, il allait voir son fils dans sa chambre, et le trouvait profondément endormi, une expression paisible sur le visage. Et quand Nelson ne sommeillait pas, il le regardait de son regard doux et curieux, comme celui que Jake posait sur son fils. Parfois, il imaginait que Nelson lui parlait, lui assurait qu'Oliver allait bien, et que tout se passerait bien tant qu'il serait là.

Jake ne discuta pas de ce sujet avec sa mère, car il savait déjà ce qu'elle allait dire. Elle aussi adorait le chien, mais c'était une femme de principes, élevée dans la stricte religion catholique. Elle lui dirait que le bon comportement était de contacter cette femme et de découvrir si le chien lui appartenait vraiment. Si elle le réclamait, il faudrait le lui rendre.

L'intégrité de Jake avait toujours été un atout dans ses transactions financières. Après avoir interrogé sa conscience plusieurs jours, il décida d'appeler la femme. Une voix d'homme était enregistrée sur le répondeur et Jake laissa un message pour expliquer la situation.

Une femme le rappela environ trois minutes plus tard. Elle semblait très agitée et lui demanda une description du chien. Jake lui donna un maximum de détails : d'abord les yeux, le corps, le pelage, puis il déclara que le petit animal n'avait que trois pattes. À l'autre bout de la ligne, son interlocutrice parut accablée. Elle marqua une pause, puis déclara que le chien ressemblait beaucoup à celui qu'elle avait possédé, excepté la patte manquante. La vidéo était sombre et brouillée, et on ne voyait le chien danser que quelques secondes. Mais elle avait le pressentiment que c'était bien le sien. Le cœur de Jake se brisa, tant il avait peur de dire la vérité à Oliver.

La femme posa quelques questions à Jake sur sa famille, lui demanda depuis combien de temps le chien était avec eux. Elle semblait sensible à la délicatesse de la situation, ce qui le rassura un peu. Elle demanda à venir lui rendre visite pour voir le chien. Serait-ce possible ce week-end ? Peut-être dimanche, dans cinq jours ? Oui, répondit-il, son fils et lui seraient présents. Comme elle habitait à quatre heures de route de chez eux, elle pouvait arriver vers midi, si cela leur convenait. Très bien. La femme le remercia et raccrocha. Les jours suivants, Nelson sentit le malaise de son maître, dont l'angoisse suintait par tous les pores de la peau. Il lui témoigna encore plus d'affection que d'habitude pour tenter d'apaiser son propre trouble. Heureusement, Oliver, lui, se comportait normalement.

Même si Nelson percevait l'inquiétude de Jake, il n'était absolument pas préparé aux événements du dimanche matin. La veille, le chien avait bénéficié d'attentions toutes particulières. Jake avait fait griller de la viande au barbecue pour tout le monde et Nelson eut droit à une belle pièce sans épices, coupée en petits morceaux. Il avait parlé à Norma de la visite très spéciale qu'il attendait le lendemain, et tous deux s'étaient de ce fait montrés encore plus affectueux envers leur petit protégé. Plus tard dans la journée, Nelson entendit Jake appeler Oliver dans sa chambre, puis refermer la porte derrière lui. Père et fils parlèrent d'abord doucement, mais bientôt, Oliver se mit à pleurer et à crier. L'enfant ressortit de la pièce les larmes aux yeux et courut se réfugier dans sa chambre. Jake le suivit. Nelson sauta des genoux de Norma et se précipita dans la chambre de son petit maître, où Jake caressait la tête de son fils, qui sanglotait dans ses oreillers. Nelson grimpa sur le lit et lécha le visage de l'enfant, qui détourna la tête. Tous trois restèrent assis là pendant une demi-heure.

Puis Oliver se leva péniblement et marcha d'un pas lent jusqu'à la salle à manger, l'air totalement effondré. Jake et Nelson lui emboîtèrent le pas. Ce soir-là, ils regardèrent ensemble un DVD. L'animal ne comprenait pas la soudaine distance du petit garçon. Dans son lit, Oliver ne le serra pas dans ses bras comme à l'accoutumée pour lui souhaiter bonne nuit. Nelson se réveilla au beau milieu de la nuit et l'entendit pleurer doucement.

Jake ne dormait pas. Il priait. Il priait que la femme ne soit pas la véritable propriétaire du chien à trois pattes. Il priait qu'elle arrive le lendemain, voie le chien et décrète immédiatement qu'il n'était pas le sien. Elle avait été induite en erreur par une vidéo sombre et floue.

À midi juste le lendemain, la sonnette de l'entrée retentit. Jake lisait un livre sur le canapé. Norma faisait la sieste. Oliver jouait dans sa chambre. Nelson était allongé près de lui, respectueux du choix de l'enfant de ne pas partager ses jeux.

En ouvrant la porte, le maître de maison apprécia instantanément la femme qui se tenait sur le seuil. Âgée d'un peu moins de quarante ans, elle était jolie et avait des manières douces, qui lui plurent aussitôt. De plus, elle afficha une grande retenue, étant donné les circonstances.

Nelson entendit la sonnette. Il n'avait pas envie de quitter Oliver, mais son devoir était de défendre la maisonnée d'éventuels intrus, aussi bondit-il du lit pour se précipiter vers la porte. Jake parlait à une femme.

Nelson huma l'air. Une fragrance puissante et enivrante assaillit ses narines. L'espace d'un instant, les connexions de son cerveau s'embrouillèrent. Puis sans réfléchir, il se jeta sur la femme. C'était elle ! C'était Katey ! Par miracle, elle était revenue.

Le petit chien à trois pattes était fou de bonheur. Il sautait de façon erratique autour de Katey, expression de sa joie incommensurable de la revoir. Quand le parfum doux et profond de sa bien-aimée l'enveloppa tout entier, il se mit à aboyer sans plus pouvoir s'arrêter. Son corps fut pris de tremblement, en extase. La tonalité crémeuse de sa voix, quand elle prononça son nom pour la première fois depuis neuf longues années, balaya les relents de mort encore enfouis dans son cœur.

Katey s'agenouilla près du petit chien qui lui couvrit le visage de baisers humides. Malgré les années, son odeur n'avait pas changé. Elle serra dans ses bras un Nelson frétillant, incapable de maîtriser son émotion. Elle caressa la cicatrice, à l'endroit de son amputation, et le chien goûta le sel de ses larmes pour la première fois depuis toutes ces années. Il les lécha avec ferveur. Leurs retrouvailles durèrent de longues minutes. Katey gratta sa tête comme autrefois, ce qu'il aimait plus que tout au monde. Il plongea ses yeux étonnés dans les siens, à quelques centimètres seulement du visage qui avait hanté ses rêves durant toutes ces nuits glaciales. Le chien vit le reflet étincelant du soleil dans les yeux de son Grand Amour, et une paix délicieuse emplit son âme. Jake les observait avec un sourire doux-amer.

Comme Nelson, Katey fut submergée par l'émotion de revoir son cher animal après tout ce temps. Elle s'était efforcée d'imaginer Nelson avec seulement trois pattes. Mais quand le petit animal déboula du salon et lui bondit dessus, elle ne ressentit rien d'autre que l'amour profond qu'elle lui vouait depuis si longtemps, ainsi qu'un immense soulagement de le savoir sain et sauf. Il avait les mêmes grands yeux magnifiques, la même fourrure douce, la même queue fabuleuse. Sa nature profonde était inchangée. Plongeant son regard dans le sien, elle s'interrogea sur son existence durant toutes ces années, sur les épreuves qu'il avait surmontées. Comment diable avait-il bien pu traverser le pays d'est en ouest, d'Albany, dans l'État de New York, à la Californie ? Des événements terribles avaient dû lui arriver pour qu'il ait perdu une patte, mais ce dimanche-là, il ne montrait aucun signe de tristesse, seulement la joie débordante de l'avoir retrouvée. Alors que Nelson l'embrassait et la gratifiait de son amour exubérant, elle-même se sentait éperdue de bonheur.

La perte de Nelson avait été une douloureuse épreuve pour la jeune femme. Durant des mois, elle avait sillonné le voisinage à sa recherche. Elle avait collé des affiches partout, à des kilomètres à la ronde. La nuit, elle perdait le sommeil, furieuse après Don d'avoir laissé le portail ouvert. Au fil des mois, elle comprit que ses chances de retrouver Nelson étaient de plus en plus minces. Tous les refuges lui avaient dit que si le chien n'était pas retrouvé dans les vingt-quatre heures, il était sûrement perdu pour toujours. Surtout, elle s'inquiétait de son sort. Avait-il de quoi manger ? Où dormait-il ? Souffrait-il du froid ? Était-il seulement en vie ? La peur de ne plus jamais le revoir la saisit. Elle s'en voulut de ne pas l'avoir équipé d'une puce électronique permettant de l'identifier, ce qui était devenu chose commune. Des années après, elle se réveillait encore au milieu de la nuit et ressentait cruellement l'absence du petit animal roulé en boule contre son estomac. L'horrible jouet en forme de rat qu'elle lui avait offert ne quittait plus son lit la nuit. À la fin de ses répétitions de piano, elle se mettait spontanément à jouer *Here Comes The Sun*, puis se rendait compte que Nelson n'était pas là pour l'écouter. Aussitôt, elle s'arrêtait de jouer.

Pourtant, plusieurs années après, en repensant à Nelson et à son père qui la cajolait quand elle était petite fille, elle navigua sur le Net et visionna des sites qui diffusaient des vidéos de *Here Comes*

The Sun, exécuté par divers artistes. En voyant le petit chien sautiller en cadence sur la chanson, elle ressentit immédiatement l'agonie de son feulement déchirant. En examinant l'image de plus près, au moment où la gueule de Nelson faisait face à la caméra, elle eut une brusque suée. Son corps se mit à trembler quand elle se rendit compte qu'il n'avait que trois pattes. C'était comme si ses entrailles avaient été lacérées par un couteau tranchant. De nouveau, elle regarda la courte vidéo floue du chien exécutant sa danse insolite, encore et encore. Son esprit imaginait les scénarios les plus atroces pour expliquer l'amputation de son membre. Que s'était-il passé ? se demandait-elle avec angoisse. Avait-il beaucoup souffert ? Pouvait-il même encore marcher ?

Après s'être un peu calmée, elle tenta de contacter la personne qui avait mis la vidéo en ligne. Ne disposant que de son adresse électronique, elle lui envoya des dizaines de messages, mais n'obtint aucune réponse avant plusieurs semaines. Enfin, à force de le relancer, l'internaute finit par lui répondre qu'il ne s'agissait pas de son chien et qu'il essayerait de contacter son propriétaire pour lui faire savoir qu'elle cherchait à le joindre.

Ce dimanche-là, sur le trajet de Los Angeles à Chico, l'austère désert californien s'étendait à perte de vue. Les siècles passés, de nombreux voyageurs étaient morts en essayant de le traverser, pourchassant quelque rêve d'or et de gloire qui s'avéra n'être qu'un mirage. Katey écouta du Mozart un moment, puis éteignit la musique pour conduire en silence, plongée dans ses pensées. Voilà plus d'une heure qu'elle se disait que son épopée était totalement absurde. Traverser la Californie dans l'espoir de retrouver son petit chien perdu depuis neuf ans ? Comment l'animal sur la vidéo pourrait-il être le sien ? À cinq mille kilomètres de l'endroit où il s'était perdu ! De plus, il n'avait que trois pattes ! Il hurlait ! Jamais Nelson ne hurlait quand il vivait avec elle. N'était-elle pas en train de se faire des illusions ? Ce n'était qu'une vidéo floue et sombre. Non, elle devait se rendre à l'évidence : Nelson était perdu depuis longtemps.

Elle fit halte sur une aire de repos et mangea un sandwich. Dans les toilettes, elle se regarda dans le miroir et s'aspergea le visage d'eau froide, invoquant une bonne raison de faire demi-tour. Mais elle sut à cet instant qu'il n'était pas question de retourner à Los Angeles. Elle aimait toujours Nelson de tout son cœur. Même s'il n'y avait qu'une chance infime de le retrouver, elle devait en avoir le cœur net. Et se rendre à Chico.

Voilà comment elle s'était retrouvée dans l'entrée de la maison d'une petite ville californienne avec le chien qui s'était enfui de chez elle neuf ans plus tôt, à des milliers de kilomètres de là. Enfin, elle leva les yeux sur Jake, qui la fixait intensément. Un peu embarrassée, elle se releva. À l'autre bout du salon, un petit garçon l'observait d'un air renfrogné. Mais il disparut vivement dans les entrailles de la maison.

Nelson ne quittait pas Katey d'une semelle et ne cessait de l'entourer de démonstrations d'amour explosives. Le bonheur éructait par tous les pores de sa peau.

Jake prépara du café et des cookies et son invitée le remercia pour son hospitalité. Elle serra la main de Norma, qui l'interrogea aussitôt sur son statut marital.

Elle répondit à la vieille dame qu'elle fréquentait un homme, et Norma soupira. Tous trois s'assirent pour siroter leur boisson. Jake appela Oliver, qui refusait obstinément de sortir de sa chambre. Nelson s'installa tranquillement aux pieds de sa bien-aimée. Il dévora les restes de poulet que lui donna Jake, heureux de constater que sa maîtresse l'approuvait.

Jake était curieux de connaître le vrai nom de l'animal. Jupiter ne lui avait jamais semblé adéquat et Nelson correspondait selon lui mille fois mieux à sa personnalité. Il raconta ensuite à son invitée comment lui et son fils avaient sauvé Nelson in extremis, alors qu'il était voué à mourir à la fourrière, et vit les yeux de son interlocutrice se mouiller de larmes. Quand Katey l'interrogea sur Oliver, il répondit avec sincérité qu'ils étaient tous deux extrêmement attachés au petit chien. Comme il voulait en savoir plus sur l'enfance de Nelson, Katey lui raconta qu'elle l'avait acheté dans une petite animalerie, puis décrivit le chiot qu'il était. Après quoi, elle lui expliqua que le portail avait un jour été laissé entrouvert accidentellement et que Nelson s'était échappé. Sa disparition l'avait profondément affectée, lui avoua-t-elle.

Jake et Katey avaient tous deux conscience de la complexité de la situation et se demandaient que faire. Au fond de son cœur, Jake savait que cette femme aimait sincèrement l'animal. Pouvait-il refuser de réunir ces deux êtres si attachés l'un à l'autre ? En son for intérieur, Katey savait combien Nelson comptait aux yeux du père et son fils, et que le perdre leur briserait le cœur. Cette souffrance qu'elle connaissait bien, elle ne voulait pas l'infliger à d'autres. Mais en même temps, elle était folle de joie de l'avoir retrouvé, après toutes ces années. La puissance de son amour était palpable. Que désirait le chien ? Préférerait-il rentrer à la maison avec elle ? L'animal ne la quittait plus d'une semelle, même quand elle se rendait aux toilettes. Quand Jake ordonna machinalement à Nelson de la laisser tranquille pendant qu'elle était dans la salle de bains, le chien l'ignora. Il levait constamment les yeux sur elle. Si seulement il pouvait s'exprimer ! Néanmoins, son comportement affichait clairement sa préférence. Il désirait manifestement rester avec sa bien-aimée.

Dans son cœur de chien, Nelson ne voulait plus jamais être séparé de Katey. Voilà des années et des années qu'il se languissait de son Grand Amour. Désormais, il voulait rester avec elle pour toujours. Il adorait aussi Oliver, et aimait beaucoup Jake, mais son amour pour Katey surpassait tout le reste.

Katey surprit le petit Oliver en train de l'épier depuis le couloir. Elle demanda à son père si elle pouvait lui parler. Il ne valait mieux pas, répondit l'intéressé, craignant de rendre les choses encore plus confuses dans la tête de l'enfant. Nelson lui manquerait terriblement, lui avoua-t-il, mais la meilleure chose à faire était de le laisser partir avec elle. Nelson était son chien, elle en était le propriétaire légal.

Katey fut touchée par l'abnégation de son hôte. Elle savait combien cette décision était douloureuse pour lui. Après l'avoir chaleureusement remercié, elle lui promit de rester en contact avec eux. Jake lui sourit et lui demanda s'il pouvait emmener Nelson dire au revoir à son fils. Bien sûr, répondit-elle. Il prit le chien dans ses bras et l'emmena dans la chambre d'Oliver. Nelson fixait Katey avec inquiétude, angoissé à l'idée qu'ils soient de nouveau séparés.

Dans la chambre du garçon, Jake parla doucement à son fils, qui était allongé sur son lit et faisait semblant de dormir. Percevant la détresse de l'enfant, le chien se lova contre lui et lui lécha le visage. À contrecœur, Oliver caressa la fourrure du chien, pendant que son père lui confirmait qu'il partait le jour même. Oliver étreignit tendrement l'animal, qui le léchait toujours, inconscient de leur séparation imminente.

Sur le trajet de retour vers Los Angeles, Nelson s'assit sur le siège passager, et ne quitta pas des yeux sa maîtresse de tout le voyage, s'enivrant de sa fragrance.

Oliver ne pleura pas ce jour-là. Son chagrin se mua en un sentiment froid dans son estomac, qui ne le quitta plus. Cette nuit-là, l'enfant regretta plus que jamais sa maman.

40.

Katey se gara devant sa maison, située dans la périphérie de Los Angeles. La nuit allait bientôt tomber. Les couchers de soleil étaient souvent spectaculaires à Los Angeles. Nelson huma la pollution de l'air, qui participait à la création des fabuleuses couleurs du ciel. Quand la voiture s'arrêta, le chien explora les environs de son odorat. L'herbe était sèche, mais il reniflait quantité d'arbres et de fleurs plaisants non loin de là. Ainsi que de nombreux chiens. Outre leurs odeurs intenses, il entendit quelques aboiements sporadiques. Katey souleva le chien et l'embrassa de nouveau. Elle lui mit une laisse et lui fit parcourir la courte allée qui menait à sa maison. La bâtisse était à peu près de la même taille que celle d'Albany. Nelson remarqua immédiatement les riches senteurs du jardin, semblable à celui de leur ancien foyer. Quelle joie de constater que sa bien-aimée avait planté un large parterre de tubéreuses près de la porte d'entrée ! Au crépuscule, les fleurs odorantes embaumaient l'atmosphère de leur parfum magique. Nelson les respira par bouffées et Katey comprit qu'il s'en souvenait. Un long moment, tous deux respirèrent les tubéreuses ensemble, comme autrefois.

Quand la porte d'entrée s'ouvrit, l'odeur d'un homme s'engouffra dans les narines de Nelson. Instinctivement, le chien se mit à aboyer. Quelque part, dans sa banque de données olfactive, la fragrance de Don perturbait ses émotions. Mais ce n'était pas Don sur le pas de la porte. Katey embrassa son petit ami, Evan, en guise de bienvenue. Nelson observa l'homme et le renifla. Il avait une quarantaine d'années, un léger embonpoint et un charmant sourire. Nelson sentit tout de suite que Katey était à l'aise avec cet homme, aussi laissa-t-il le nouveau venu le flatter. Evan était gentil et Nelson l'adopta aussitôt.

Le couple laissa le chien renifler tous les recoins de la maison. C'était une étrange sensation pour l'animal. Cet endroit lui était inconnu, pourtant l'odeur de sa bien-aimée flottait partout. Bien des objets de son enfance se trouvaient dans cette demeure étrangère – le canapé, les coussins et bien sûr, le grand piano. Ses fragrances boisées s'étaient intensifiées et enrichies en huit ans d'absence. Les bois avaient vieilli, ses senteurs s'étaient entremêlées, et l'air chaud et sec de la Californie avait distillé des essences profondes et terreuses dans les strates du bois.

Le jeu de Katey s'était approfondi et nuancé avec les années. Après un dîner copieux, composé de riz et de bœuf haché préparé par sa maîtresse,

Nelson s'allongea sous le piano pour la première fois depuis une éternité, et inspira profondément en écoutant les notes de musique. Tant de nuits, il avait rêvé s'étendre sous le piano que la réalité de cette expérience fut aussi intense que dans ses songes. Il se détendit complètement et se laissa envahir par une profonde sérénité, à l'écoute des paisibles nocturnes. Puis Katey ne résista pas à l'envie de jouer *Here Comes The Sun*. Nelson ne se mit pas à hurler en entendant la chanson tant aimée. Il sauta sur ses genoux et couvrit de nouveau son visage de baisers.

Après quoi, pour la première fois depuis leur séparation, Katey emmena Nelson à l'étage et le posa sur le lit, pendant qu'elle se brossait les cheveux devant le miroir. Puis elle le serra contre sa poitrine et le petit chien ferma les yeux, enivré par le merveilleux parfum de sa bien-aimée. Elle lui gratta la tête et le chien s'endormit, sans même se rendre compte qu'Evan les avait rejoints plus tard.

Les jours suivants, Nelson retrouva avec félicité les petites habitudes de ses jeunes années. Il adorait les repas et les bains prodigués par sa maîtresse. Tout comme leurs promenades dans leur quartier tranquille. Ces moments passés avec elle sur le canapé, à la regarder dans les yeux et à jouer avec elle, étaient un pur délice. Katey lui offrit un nouveau rat en plastique, l'original ayant été perdu durant son déménagement à Los Angeles, et très vite, il reprit goût à ses jeux du soir avec sa bien-aimée. Evan se montrait tout aussi charmant envers Nelson. Il lui donnait des os et des restes, et parfois, l'emmenait faire une balade.

Son bonheur d'être de nouveau auprès de son Grand Amour était seulement amoindri par ses sentiments pour Jake et Oliver. Au bout de quelques jours, Nelson se mit à fureter dans toute la maison à leur recherche. Quand la sonnette de l'entrée retentissait, ou que des pas se faisaient entendre dans l'allée, il espérait voir Oliver arriver. Parfois, Katey lui trouvait un air triste, mais elle ne se doutait pas qu'il pensait au jeune garçon.

Les premières semaines de son retour, Nelson sentit combien Katey était heureuse. Au cours de ses années d'errance, son cerveau canin n'avait jamais éprouvé d'angoisse, comme l'aurait fait un humain, à l'idée que Katey ne l'aime plus comme avant. Mais même s'il avait nourri de telles inquiétudes, celles-ci se seraient dissipées dès son retour. Sa bien-aimée l'aimait avec la même ferveur qu'autrefois, peut-être même plus. En vérité, elle n'avait pas réellement passé une journée sans penser à lui, ne serait-ce qu'un instant.

La disparition de Nelson s'était produite au moment même de l'éclatement de son mariage. Après deux jours d'absence, Don lui avait avoué avoir couché de nouveau avec sa maîtresse. Katey s'était promis que si son mari la trompait encore, leur mariage serait terminé, mais c'était une résolution difficile à tenir. Deux mois s'écoulèrent avant le départ définitif de Don. Le mélange nocif de colère et d'amour résiduel était trop complexe pour être facilement évacué. Don expliqua son infidélité par son besoin de se sentir de nouveau fort et viril, chose que Katey selon lui ne lui avait pas apportée. Il l'aimait toujours plus que tout, affirmait-il. Elle voulait tellement croire cet homme, quand il s'asseyait devant elle avec ce regard sincère, cet homme dont elle était profondément tombée amoureuse seulement quelques années auparavant. Mais Katey savait que l'homme qu'elle avait épousé aurait été fort, peu importait les difficultés, et qu'il s'était laissé happer par les circonstances, en dépit de son amour et son soutien. Quand enfin elle demanda à Don de partir, le vide laissé par son absence, doublé de la disparition de Nelson, fut au début extrêmement pénible.

Ainsi, la perte de Nelson et l'effondrement de son mariage devinrent inextricablement liés. Elle adorait leur maison d'Albany, mais au bout d'environ un an, elle ne supporta plus de vivre au beau milieu de tous les souvenirs de son ex-mari. En même temps, elle craignait terriblement que Nelson revienne un jour et ne la trouve plus dans la maison, si elle déménageait.

C'est aussi à cette période que la carrière de Katey décolla. Peut-être ces deux événements étaient-ils corrélés, après tout. Pendant ses longues soirées solitaires, Katey travaillait ses œuvres au piano, faute de mieux à faire. Son piano, qui avait toujours été un exutoire pour ses émotions, le fut doublement à cette époque. Ses auditeurs s'en rendirent compte, même s'ils ne connaissaient pas l'origine de la passion de son jeu. Ses représentations l'emmenaient souvent en Californie, où les scènes culturelles enthousiastes de San Francisco et Los Angeles l'accueillaient chaleureusement. Quand son agent lui suggéra de déménager sur la Côte Ouest, elle était totalement contre l'idée. En son for intérieur, elle savait que c'était parce qu'elle craignait que Nelson ne revienne sans crier gare. Mais après six mois d'indécision, et l'insistance de son entourage, elle décida de se jeter à l'eau. Le soleil californien lui réchauffait le cœur et lui donna l'énergie nécessaire pour franchir le pas.

Lorsqu'elle déménagea enfin, elle se plut à Los Angeles. Bien sûr, elle était plus heureuse, en l'absence de rappels constants de son mariage brisé. Par une belle journée, la lumière à Los Angeles était claire et brillante, comme nulle part ailleurs. Parfois, en circulant dans la grande ville, elle éprouvait une grande félicité en se laissant pénétrer de la luminosité intense qui imprégnait toutes choses. Un jour de pluie était rare à Los Angeles. Ainsi, les habitants semblaient immunisés contre toute forme de stress de l'existence. Dès lors, la douleur initiale d'avoir perdu Don et Nelson s'amenuisa peu à peu.

Peu après leurs retrouvailles, Nelson inhalait inlassablement la fragrance de sa bien-aimée. Une fragrance complexe, la même qu'autrefois, excepté une texture nouvelle, difficile à identifier. Son nez se fronçait quand il décelait cette émanation, au cœur de l'enchevêtrement complexe et unique de l'odeur corporelle de Katey. Il ne l'avait encore jamais sentie chez un homme, encore moins chez Evan, qui avait pourtant à peu près le même âge que sa compagne.

Ce que Nelson avait décelé grâce à son odorat remarquable, Katey elle aussi l'avait senti. Sa conscience était désormais habitée de cette émotion troublante. Quand elle avait épousé Don, elle imaginait avoir des enfants avec lui, au début de la trentaine peut-être. Cette idée ne la travaillait pas constamment, tant elle se réjouissait de son union passionnée et de sa carrière naissante. Mais elle se disait qu'un beau jour, elle adorerait porter les enfants de Don. Les infidélités de son mari avaient ruiné toutes ses espérances. Après son départ, elle ne pensait plus guère à la maternité, mais une fois installée à Los Angeles, et la quarantaine approchant, elle commença à remarquer les bébés dans leurs poussettes dans la rue, chose nouvelle pour elle. Elle écoutait les rires des enfants au parc, quand elle prenait son cours d'aérobic en plein air. Bien sûr, elle était consciente que la vie de ses amis avait été bouleversée par l'arrivée d'un enfant. Mais le désir d'enfant s'était brusquement ancré en elle, tel un besoin irrépressible, au plus profond de ses entrailles.

L'idée d'élever un enfant seule, en tant que mère célibataire, l'avait traversée, mais le souvenir de son enfance avec un père souvent absent l'avait rebutée. Après son emménagement à Los Angeles, elle avait fréquenté plusieurs hommes, mais il lui fallut du temps pour en rencontrer un qui semblait pouvoir remplir le rôle de père. Elle avait rencontré Evan au bureau de poste. Il faisait la queue derrière elle pour poster une lettre, et lui avait proposé de lui prêter la monnaie nécessaire à l'achat d'un carnet de timbres. La conversation s'était engagée. C'était un scénariste drôle et charmant. Il l'avait invitée à dîner et elle s'était attachée à lui. Au bout de plusieurs mois, ils avaient partagé une bouteille de pinot le jour du Memorial Day, et avaient passé la nuit ensemble. Comme tous deux étaient célibataires depuis un long moment, leur plaisir de faire de nouveau l'amour et de revivre la fusion des corps avait occulté le manque de réelle chimie sexuelle entre eux. Mais ils s'aimaient bien et ne voulaient pas rester seuls, ainsi, ils devinrent amants, et trois mois plus tard, ils emménagèrent ensemble.

Lors de sa rencontre avec Don, Katey avait été attirée par lui comme un aimant et leurs relations sexuelles avaient été intenses et passionnées, avant que les choses ne tournent mal. Nelson n'était encore qu'un petit chiot quand il avait expérimenté les puissantes fragrances émanant de leurs ébats amoureux. Étendu dans le lit avec Katey et Evan, le chien remarqua que les émanations de leurs étreintes n'avaient pas la même intensité. Le petit animal ne cherchait pas de signification à ces différences, qu'il se contentait d'observer. Bien que Katey ait nourri une profonde colère pour Don des années après leur rupture, elle se rappelait encore la passion de leurs étreintes. Passée la douce félicité des premières nuits partagées avec Evan, elle s'aperçut combien leurs ébats étaient différents du plaisir sexuel intense qu'elle partageait avec Don durant leurs premières années de mariage. Pourtant, elle se persuada que cela lui convenait et que ses sentiments étaient simplement émoussés par l'âge.

Ils vivaient ensemble depuis huit mois quand Nelson était entré dans leurs vies. Des rêves de bébé flottaient toujours dans l'esprit de Katey, pourtant quelque chose l'empêchait de les concrétiser avec Evan. Elle réfléchissait à cette idée dans l'avion, quand elle traversait le pays pour donner un concert, ou pendant qu'elle entretenait son jardin. Leur relation était tendre, aimante, et Evan ferait un père doux et attentionné, elle le savait. Alors pourquoi ne lui semblait-il pas évident d'avoir un enfant avec lui ? Elle ne connaissait pas la réponse à cette question. Quand elle jouait avec Nelson dans le jardin et le regardait dans les yeux, elle regrettait de tout son cœur qu'il ne puisse répondre à sa place à cette interrogation. Puis elle se réprimandait – comment un chien pourrait-il comprendre les énigmes du cœur humain ?

Pourtant, Nelson connaissait justement la raison du doute qui rongeait le cœur de Katey.

41.

Après le départ de Nelson, Oliver se mura dans un silence amer. Jake se doutait que l'enfant réagirait assez mal à cet événement, mais il ne s'attendait pas à un deuil aussi long. L'enfant se referma sur lui-même, passant de longues périodes seul dans sa chambre, souvent à pleurer. Le garçon joyeux que Jake connaissait semblait avoir disparu. Nelson lui manquait beaucoup aussi, mais il était bien plus préoccupé par les sentiments de son fils que par les siens. Ce qui rendait les choses encore plus difficiles, c'était qu'Oliver n'exprimait pas ses émotions.

Jake fit de son mieux pour redonner le sourire à son fils. Il l'emmenait régulièrement au cinéma, jouait au ballon avec lui dans le jardin et lui acheta un jeu vidéo que l'enfant convoitait depuis longtemps. Il lui proposa même de lui acheter un autre chien, mais Oliver était résolument contre l'idée de remplacer Nelson. Rien ne semblait pouvoir lui remonter le moral. Après mûre réflexion, Jake décida d'appeler Katey pour lui demander si elle accepterait qu'Oliver vienne voir Nelson, peut-être deux ou trois fois, afin que l'enfant se rende compte que le chien était heureux et qu'il puisse surmonter son chagrin.

Jake tomba sur Evan qui lui expliqua que Katey était partie en tournée pour quelques jours. Il lui expliqua l'objet de son appel, et Evan lui assura que leur visite ne poserait pas de problème et que Katey le rappellerait dès son retour. Quelques jours plus tard, elle le contacta, et parut sincèrement désolée d'apprendre combien Oliver était triste. Elle lui suggéra de venir voir Nelson dès le week-end suivant.

Lorsque Jake annonça à Oliver qu'ils iraient voir Nelson à Los Angeles, l'humeur de l'enfant s'améliora instantanément. La joie soudaine de son fils fut un immense soulagement. Oliver n'étant allé qu'une seule fois à Los Angeles, il observa le paysage avec de grands yeux ébahis tout au long du trajet de quatre heures. Jake se rappela combien tout paraissait plus grand à travers les yeux d'un enfant. Ils s'arrêtèrent manger un hamburger et le garçon insista pour en prendre aussi un petit pour Nelson.

Ils passèrent deux heures dans la maison de Katey. Si Nelson avait accueilli Katey avec effusion lors de leurs retrouvailles à Chico, le chien réserva un accueil tout aussi chaleureux à Oliver et Jake. Quand la porte d'entrée s'ouvrit sur eux, l'animal se mit à bondir en tous sens, tout excité, en aboyant à tout va. Le garçon s'accroupit pour le serrer dans ses bras et le chien lui lécha passionnément le visage. Le cœur de Jake se réchauffa en voyant le grand sourire qui éclairait le visage de son fils. Il fallut plusieurs minutes au chien pour se calmer. Il cabriolait de Katey à Jake et Oliver pour leur témoigner son amour.

Katey leur proposa de la limonade et des cookies, à la grande joie de l'enfant. Ils s'installèrent dans le jardin. Evan passa leur dire un petit bonjour et serra la main de Jake. Puis il s'excusa et déclara qu'il avait un travail urgent à terminer pour le lendemain. Après quoi, il disparut dans son bureau.

Oliver s'oublia dans ses jeux avec Nelson, comme avant. Katey et Jake l'observèrent avec amusement. Jake remercia leur hôtesse de leur avoir permis de venir. Après un moment de réflexion, elle répondit qu'ils étaient les bienvenus, aussi souvent qu'ils le souhaitaient. Elle voyait bien combien Nelson les aimait et était heureuse de pouvoir les réunir.

Durant les mois suivants, Jake et Oliver lui rendirent visite régulièrement. Il ne s'écoulait jamais plus de trois semaines entre deux virées à Los Angeles. Au début, Jake se sentait un peu mal à l'aise de s'imposer ainsi, mais il sentait bien que Katey était sincère et il appréciait son hospitalité. Oliver faisait en sorte d'aller voir son cher Nelson aussi souvent que possible. Il rappelait à son père la date de leur précédent voyage et l'intimait de préparer le suivant. Jake se laissait faire de bonne grâce. Le trajet de Chico à Los Angeles était assez long, mais il s'en moquait, du moment que son fils était heureux.

De temps à autre, Evan et Katey s'asseyaient avec leurs invités. Une fois, la pianiste était partie en tournée, aussi Jake se retrouva-t-il seul, pendant qu'Oliver jouait avec le chien et qu'Evan travaillait à l'étage. Le plus souvent, Katey restait avec ses deux invités et Nelson. Peu à peu, l'enfant s'habitua à la présence de Katey et l'invita à partager leurs jeux. Tous les quatre jouaient alors au ballon dans le jardin. Le bonheur de l'enfant était palpable, et Katey y pensait encore bien après son départ. En serrant Nelson contre son cœur, elle pensait aussi à la douleur du petit garçon qui avait perdu sa maman, puis son chien. Elle aussi avait vécu ces mêmes terribles expériences.

Quelques mois plus tard, Jake fut surpris par la requête de Katey. Accepterait-il de venir garder Nelson avec Oliver pendant toute une semaine ? Comme elle paraissait plutôt stressée, il n'osa pas lui demander pourquoi Evan ne pouvait s'en charger, comme il le faisait chaque fois que la concertiste partait en tournée. Par chance, Jake devait se rendre à Los Angeles pour récupérer des pièces nécessaires à son magasin, aussi lui proposa-t-il de passer prendre le chien le lendemain matin, avant le départ de son vol pour New York, prévu le soir. Lorsqu'il arriva chez elle, il remarqua que son interlocutrice était un peu triste, et que son petit ami n'était nulle part en vue. Néanmoins, Jake ne posa aucune question et Katey lui fut reconnaissante de savoir Nelson en de bonnes mains en son absence.

Dans l'avion, elle réfléchit aux événements des derniers jours. Evan lui avait dit vouloir lui parler l'avant-veille et lui avait annoncé une surprenante nouvelle. Il avait repris contact avec son ancienne petite amie. Manifestement, il lui était très pénible de lui avouer qu'il avait l'intention de faire une nouvelle tentative avec elle. Cette femme était celle qu'il considérait comme l'amour de sa vie, aussi allait-il déménager dans quelques jours. Blesser Katey lui était très difficile, lui dit-il, mais c'était selon lui la meilleure chose à faire à long terme. Au début, Katey fut bouleversée. Mais bizarrement, dans l'avion pour New York, elle éprouva un grand soulagement. Sa relation avec Evan était agréable, mais n'était pas destinée à durer. Au fond d'elle, Katey savait qu'il ne lui manquerait pas. Le moment n'était peut-être pas idéal, mais au moins, Nelson serait choyé en son absence.

Oliver fut euphorique d'avoir Nelson chez lui pour une semaine entière. Chaque journée tournait autour du petit chien. Granny Norma, qui ne l'avait pas vu depuis des mois, était elle aussi enchantée de le retrouver. Nelson courait dans le jardin et la cour en furetant partout, heureux de se réapproprier son territoire. La nuit, il se lovait contre Oliver, comme avant. Jake vit le chien humer l'air avec espoir chaque fois que quelqu'un sonnait à la porte et comprit ainsi que sa vraie maîtresse lui manquait.

Katey vint le chercher la semaine suivante. Sa tournée s'était bien passée, mais elle était contente d'être de retour chez elle. Il était évident qu'Oliver était malheureux de voir le chien repartir, mais tous trois prirent rendez-vous à Los Angeles quinze jours plus tard. Katey serra Oliver dans ses bras en lui promettant qu'il reverrait bientôt Nelson. Quand la femme et l'enfant s'étreignirent, Nelson leur lécha le visage à tous deux, ce qui fit sourire Jake.

Père et fils se rendaient à Los Angeles environ toutes les deux semaines. Au fil des mois, Katey en vint à attendre impatiemment leurs visites, qui égayaient ses week-ends. Evan ne lui manquait guère, mais elle se sentait parfois seule et le visage souriant d'Oliver comme la présence chaleureuse de son père la mettaient en joie.

Elle avait remarqué que Jake était un homme séduisant dès leur première rencontre. Mais à l'époque, elle sortait avec Evan et c'était une femme loyale. Aussi ne s'était-elle pas autorisée à éprouver un quelconque sentiment à son égard. À présent, elle attendait leur visite, mais espérait aussi revoir le visage doux et les beaux yeux noirs de Jake. Les mois passant, tous deux avaient pris l'habitude d'évoquer toutes sortes de sujets. Jake lui avait parlé de la mort de sa femme et de la douleur nichée dans son cœur. Katey était impressionnée par la façon dont il remplissait son rôle de père célibataire. Certes, il n'était pas très loquace, mais elle sentait combien il était attentionné, intelligent, et d'une grande moralité. Parfois, lorsqu'ils jouaient ensemble dans le jardin, leurs mains venaient à s'effleurer, déclenchant des frissons dans tout son être.

Un samedi, ils étaient tellement enthousiasmés par leur conversation qu'ils ne virent pas le temps passer, et que la nuit tombait déjà quand Jake se rendit compte qu'il aurait dû être sur le chemin du retour. Leur hôtesse leur proposa aussitôt de passer la nuit chez elle. Elle disposait d'une chambre d'amis confortable. Jake était déconcerté, mais comme elle insistait, il finit par se laisser convaincre.

Ils commandèrent une pizza et regardèrent un vieux film des frères Cohen sur le câble. L'enfant s'endormit sur le canapé pendant que les adultes conversaient.

Katey fut à peine surprise quand Jake se pencha lentement vers elle et l'embrassa. Ils s'enlacèrent, et le cœur de Katey s'emballa quand le corps et les lèvres chaudes de Jake l'enveloppèrent. C'était un baiser sur lequel on pouvait bâtir un rêve.

Étendu à leurs pieds, le petit chien à trois pattes leva le nez et huma l'air. La passion des amants emplit ses narines. Il savait ce qui allait bientôt se produire et se dit qu'il était temps qu'il laisse les humains à leur étrange rituel amoureux. Quand Nelson s'abandonna au sommeil cette nuit-là, il ressentit un bonheur profond. Il n'avait pas d'ego, mais s'il avait réfléchi à ses accomplissements comme l'aurait fait un humain, il aurait retiré une grande fierté du pouvoir immense et magique des chiens.

Écoutez *The Immense Magical Powers of Dogs* :
www.youtube.com/watch?v=U5tSiruxQpM.

42.

Il n'était pas rare que le soleil brille le jour de Noël en Californie. Le petit chien à trois pattes s'étendit sous le porche ensoleillé, s'enivrant du parfum des vacances, des chuchotements et des bruissements de la famille en pleins préparatifs de la fête. Nelson inspira une bouffée de pin frais provenant du grand arbre que Jake avait traîné dans le salon, à la grande surprise de l'animal. Au début, cette fragrance lui rappela sa vie avec les loups, mais l'excitation d'Oliver était contagieuse et le chien était intrigué par les nombreuses boîtes enrubannées que la famille avait disposées sous le sapin, dont une tout spécialement pour lui – il le savait. Katey l'avait en effet regardé avec un grand sourire en déposant ce cadeau la veille sous l'arbre de Noël. Nelson avait deviné qu'il contenait un os savoureux. S'il avait été plus jeune, il aurait sûrement arraché le papier cadeau et mis la boîte en pièces pour en atteindre le cœur odorant, mais il avait appris la valeur de la patience, et rongeait son frein en attendant que Katey lui donne le feu vert pour savourer son présent. De plus, il était ravi de se repaître des délicieux arômes des cookies de Noël que granny Norma préparait dans la cuisine, une appétissante concoction de beurre, sucre, noisettes grillées et fruits. Le cidre de pomme de Katey infusait sur le poêle et la brise rapportait de toutes les maisons voisines les riches arômes des spécialités que chaque famille préparait pour ce repas de fêtes. Nelson s'imbiba de ce bouquet de senteurs.

Sans oublier l'odeur de l'herbe du jardin. Cette odeur intense, profonde, mystérieuse, que Nelson avait sentie quand il n'était encore qu'un tout petit chiot. Elle le fascinait toujours autant, plus que toute autre substance. Durant ses années d'errance, il avait appris mille choses sur le monde et sur les innombrables senteurs enfouies dans le sol de cette herbe belle et riche. Cependant, sa curiosité était toujours aussi vive, et il pouvait encore respirer l'herbe pendant des heures en proie au plus grand trouble, se demandant quels secrets renfermaient les strates les plus profondes de son essence.

En dépit de son insatiable curiosité, Nelson ne ressentait plus le besoin d'explorer le monde. Katey et Jake étaient des propriétaires responsables, qui ne laisseraient jamais un portail ouvert. Mais même s'ils le faisaient, le petit chien ne serait plus tenté de quitter la maison. Le monde extérieur continuait de le fasciner, mais le chien était follement heureux de vivre dans cette maison avec Katey, Jake et Oliver, sa famille. Quelques mois seulement après le premier baiser de Katey et Jake, son Grand Amour avait emménagé avec le père et le fils. Le couple avait réfléchi à la ville où baser leur foyer et avait fini par opter pour Chico. Le travail de Jake se trouvait là et comme Katey voyageait beaucoup, peu importait où elle habitait.

Désormais, le quotidien de Nelson était plus joyeux que jamais. Les petits déjeuners en famille, les balades vespérales, les longues nuits de sommeil, les moments de repos côte à côte… Autrefois rejeté par tous les humains croisés sur son chemin, il était aujourd'hui entouré de tout l'amour qu'il méritait. Alors qu'il humait l'air parfumé, il se sentait éminemment heureux. Il savait combien le monde pouvait s'avérer dur et cruel parfois. Il savait que les êtres humains étaient capables de vous briser le cœur. Mais il savait aussi, au plus profond de son cœur, qu'il était né pour vivre et chérir les humains, et que le monde était rempli de merveilles. De temps à autre, il se rappelait les senteurs qui avaient peuplé son extraordinaire voyage. Thatcher et Lucy, le vétérinaire Dougal, Juan et Suzi, les loups – une partie de lui aurait aimé les réintégrer dans sa vie. Mais Katey, Jake et Oliver le comblaient, et il les chérirait tendrement chaque jour, pour le reste de son existence.

Nelson était un vieux chien de onze ans. Son séjour dans la nature sauvage lui avait coûté quelques années de vie, et la pression exercée sur ses articulations par son membre absent avait également pris son dû. Mais le petit chien continuerait de jouer, remuer la queue et lécher le visage de ses propriétaires durant bien plus d'années que Katey ou Jake n'auraient pu l'espérer.

Finalement, à l'âge canonique de seize ans, Nelson ne se réveilla pas un matin. Katey, Jake et Oliver dispersèrent ses cendres parmi les buissons de roses et récitèrent une prière silencieuse. Puis ils sanglotèrent le reste de la journée. Oliver vivrait très mal le décès de son cher Nelson, mais il finirait par rebondir, et deviendrait un jeune homme solide.

Tous trois se rappelleraient Nelson bien après sa mort, même dans leur vieillesse, quand ils se remémoreraient leurs existences. Katey presserait la main de Jake avec une tendresse particulière, et son mari saurait alors que le petit être occupait ses pensées. Nelson n'était qu'un petit chien, mais il vagabonderait dans leurs mémoires sur ses trois pattes aussi longtemps qu'ils vivraient.

Mais en ce matin de Noël, alors qu'il était étendu sous le porche, Nelson n'était rien de tout cela. Le petit chien inhala l'arôme suave des cookies fraîchement préparés et s'assoupit dans la douce chaleur du soleil.

Remerciements

J'aimerais remercier tout particulièrement ma fabuleuse éditrice Sarah Durand, et mon extraordinaire agent, Henry Dunow.

Merci également à Elena Evangelo, Maria Greenshields-Ziman, Bill Jacobson, Jori Krudler, Gillian Lazar, John Lazar, Tiiu Leek Jacobson, Christine Luethje, Larry Maddox, Sean McGinly, Susan Rosenberg et Irene Turner.

Trois chiens ont beaucoup inspiré ce roman : Chicky, Milan, et le vrai Nelson.

Merci aux familles Lazar, Schwartz, et Ruiz, et surtout à Claire, ma mère, et à Stan, mon père, qui adorent les chiens.

The Smell Of Grass

ALAN LAZAR

29

33

37

41
mp
p
Ped.

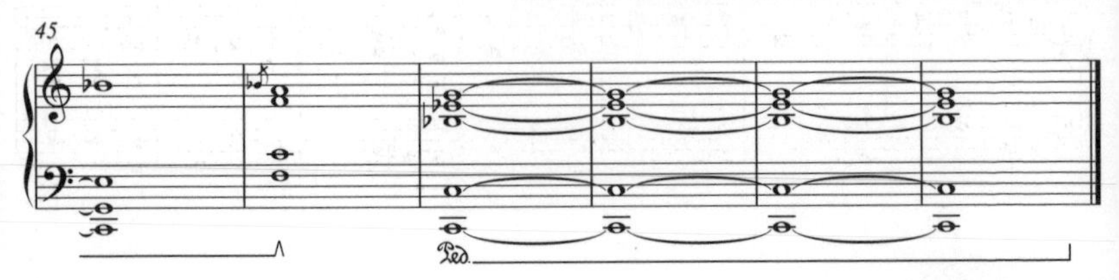
45
Ped.

The Great Love

ALAN LAZAR

32
mp

39

45
a tempo, poco rubato
rit.
mf

51

57
p
molto rit.

Journeys With Thatcher

ALAN LAZAR

Light, Playful 𝅗𝅥 = 90

mf

sim.

6

11

16

f

23
mf
sim.
28
33
37
f
p
41
mf
45

Nelson and Lucy

ALAN LAZAR

31
37
43
rit.
a tempo
mf
49
p
poco f
55
rit.
p
a tempo
60
rit.

The Wolf Mother and the Three-Legged Dog

ALAN LAZAR

Home

ALAN LAZAR

19

24

27
p
Ped.

The Immense Magical Powers of Dogs

Reprise de « The Great Love »

ALAN LAZAR